JN126785

# 猫が食べると危ない
# 食品・植物・家の中の物図鑑

誤食と中毒からあなたの猫を守るために

監修

服部 幸

（東京猫医療センター 院長）

構成

ねこねっこ

neco-necco

# 命にも関わる
# 身近な危険を知って
# 愛猫を守ろう

　完全室内飼いが浸透しつつある今、猫も人と同じ空間でさまざまなものに囲まれて暮らすようになりました。そうした背景もあり、猫が本来は口にしない"異物"を食べてしまう「誤食」\*が、家の中で最も多く起きる重大な事故となっています。

　異物は時間が経てば排泄されることもありますが、麻酔をかけて内視鏡で摘出したり、開腹手術が必要になったりすることも、決してめずらしくありません。しかも、飼い主さんが誤食に気づかず、ひっそりと静かに事故が起きているケースが後を絶ちません。

また、人よりもずっと体が小さく、代謝のしくみが異なる動物である猫にとっては有害となる食品や植物、家庭用品もあります。中には犬よりも猫のほうが、中毒症状が強く現れる成分を含む物も。このように猫には猫の誤食・中毒の特徴があり、さらに人の暮らしの変化に合わせて猫が口にしやすい物も変わってきています。だからこそ、「今の猫の暮らし」に沿った対応が必要になってきています。

　そこで本書は、食べると腸閉塞や胃腸障害を起こしやすい家の中の物や、中毒を起こす食品・飲料・観葉植物・花・化学製品等を国内外の調査や報告をまじえながら紹介します。

　起きてしまった事故に冷静に対応して早めに動物病院で処置を受けることも大切です。しかし、それよりも、何が猫に脅威となるのか知って遠ざけ、誤食・中毒の事故を未然に防ぐのが最善策です。

─── あなたの猫を、身近にある危険から守るために。

＊誤飲、誤嚥といった呼び方もありますが、この本では「誤食」で統一しています。

# Contents

監修の服部 幸先生と
愛猫のクイーンちゃん

品目ごとの索引はP156へ

# 猫の誤食と中毒

# 猫の誤食・中毒の
## 傾向を知ろう

　もともと単独で狩りを行ってきた猫だけに、見知らぬ物に対して慎重に接することも多いですよね。群れで生活し、肉以外のものも食べてきた雑食性の犬と比べてみると「何でもかんでも口にしてしまう」リスクは低いといえるかもしれません。

　とはいえ「猫だから誤食しない」わけではなく、誤食は猫にとっても手術・入院の代表的な原因の一つとなっています。狩猟本能から家の中の物をかじってしまったり、肉を削ぐのに適したザラザラの舌が異物を意図せず絡めとってしまったり、猫には猫の誤食の理由があるようです。

## 猫だからこそ、起きやすい中毒もある

　海外の例ですが、アメリカ動物虐待防止協会（ASPCA）が運営する動物中毒管理センター（APCC）には、2005年から2014年までの10年間に犬猫の中毒事故の問い合わせの電話が24万1253件も寄せられたそうです。そのうちの14％の3万3869件が猫の報告で、人用の医薬品、植物、動物用の医薬品がとくに多い結果でした。猫の中毒事故は犬ほど多くないと考えられますが、中毒を起こす物の中には、犬よりも猫に症状が現れやすい食品や植物、サプリメントなどもあります。「猫だから大丈夫」と油断をせず、「猫だからこその危険がある」と心得ておきましょう。

# 誤食事故は、猫の体にも医療費の面でも大きな打撃！

　誤食した異物が腸で詰まって閉塞を起こしたり、尖ったものが消化器内で穴を開けてしまった場合などに、開腹手術となることが多々あります。開腹手術は猫の体への負担がかかるうえ、手術と入院にかかる費用を含めて医療費も高額になります。

▼猫の手術理由 TOP3

| 順位 | 傷病名 | 件数 | 1回あたりの<br>診療費 中央値 | 1回あたりの<br>診療費 平均値 |
|---|---|---|---|---|
| 1 | 歯周病／歯肉炎<br>（乳歯遺残に起因するもの含む） | 439件 | 50,598円 | 61,519円 |
| 2 | 消化管内異物／誤飲 | 324件 | 106,267円 | 125,618円 |
| 3 | その他の皮膚の腫瘍 | 122件 | 66,652円 | 79,938円 |

▼猫の入院理由 TOP3

| 順位 | 傷病名 | 件数 | 1回あたりの<br>平均入院日数 | 1回あたりの<br>診療費 中央値 | 1回あたりの<br>診療費 平均値 |
|---|---|---|---|---|---|
| 1 | 慢性腎臓病<br>（腎不全含む） | 1,244件 | 4.6日 | 45,873円 | 69,003円 |
| 2 | 消化管内異物<br>／誤飲 | 389件 | 3.8日 | 96,487円 | 111,587円 |
| 3 | 嘔吐／下痢／<br>血便（原因未定） | 365件 | 3.6日 | 45,559円 | 67,097円 |

以上、「アニコム 家庭どうぶつ白書2019」より
対象：100,472匹。2017年4月1日〜18年3月31日までの間に、アニコム損保の保険契約を開始した猫（0〜12歳、オス・メス）において、各疾患で請求のあった個体の診療費を集計した結果 ※通院・入院・手術を含む

# 「誤食しやすい物は、
家族全員で防がなくては」

リボン状おもちゃ、シリコーン製品を食べた
プーアルくん(3才、オス、ミックス)の飼い主さん

　うちのプーは誤食を何度か経験しています。最初は生後半年の頃。リボン状の猫じゃらしで遊んでいたとき、私がテレビに気を取られていた際に、ふとプーがリボンを飲み込みかけているのに気づいて引っ張りました。でも口の奥に取り逃がしたリボンが見え、夜10時過ぎでしたが、かかりつけ医に電話をかけて診ていただくことに。吐かせる処置は効かず、念のためすすめられた救急医療センターに片道1時間かけてタクシーで向かいました。結果、内視鏡で取り除けたのは、リボンを束ねた結び目の塊でした。

　それから紐には気をつけていましたが、今度は水筒のパッキンを誤食したことが発覚。ないと探していた翌日の夕方、変な鳴き方をしたあとにバラバラになったパッキンを吐き出しました。動物病院に相談し、残りはウンチに混じって出てくるか観察することに。出てきて本当によかったです。その後パッキンは別の場所で乾燥させるようにしましたが、娘のシリコーン製のキーホルダーやネックレスを食べてしまったことも。「家族全員で」対応しなければならなかったと反省しました。誤食は飼い主が防ぐことができるものなので、プーに苦しい思いをさせてしまって本当に申し訳ないです。これからも気を抜かずに対策していかなければと強く思います。

## どんな猫・どんなときに誤食や中毒は起きやすい？

### ●若い猫に起きやすい

　警戒心よりも好奇心でいっぱいの子猫～若い猫はとくに誤食しやすく、初めて猫を飼う人の多くにとって、猫の知識を身につけ始めた頃が最も事故が起きやすい時期に重なります。植物による中毒事例の少なくとも半数は、1才までの猫で起きているという報告も*。加齢に伴い誤食は減少傾向になりますが、こだわりの一品を執拗にくわえる高齢猫もいますので、愛猫の行動を観察し、口にしやすい物を放置しないようにしましょう。

＊ Gary D. Norsworthy (2010) : *The Feline Patient, 4ᵗʰ Edition*

### ●どちらかというとオスに多い

　猫の行動が落ち着いてくるシニア期の入り口までは、オスのほうが誤食により受診するケースが多い傾向があります（右ページ 図1）。一般的に縄張りを広く持つ習性からメスよりも行動範囲が広く好奇心旺盛な猫が多いこと、体格が大きく食事量が多いこと、噛む力が強いことなどが関わっているのかもしれません。

### ●若干、冬に増えやすい

　犬ほど顕著ではありませんが、食欲が増しやすく、クリスマスから行事が続く冬季に誤食件数がわずかに増える傾向があります（右ページ 図2）。ごちそうや室内の飾りを食べてしまいやすく、行事では人も気が緩みやすいので要注意です。

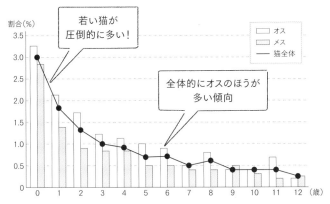

図1 誤食の年齢・性別の傾向

割合(%)

若い猫が
圧倒的に多い!

全体的にオスのほうが
多い傾向

オス
メス
猫全体

(歳)

アニコム 家庭どうぶつ白書2018年「猫における誤飲の請求割合の年齢推移」より(2016年度にアニコム損保の保険契約を開始した0〜12才の猫85,717匹について誤飲の請求割合を年齢別に記した)

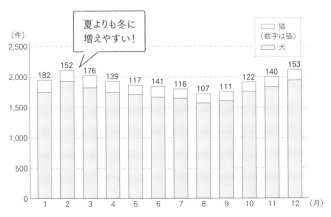

図2 誤食の季節の傾向

(件)

夏よりも冬に
増えやすい!

猫
(数字は猫)
犬

182 152 176 139 117 141 116 107 111 122 140 153

(月)

アニコム 家庭どうぶつ白書2018年「犬と猫における誤飲の診察件数の月別推移」より(2016年度にアニコム損保の保険契約を開始した犬と猫について、誤飲で請求のあった22,838件の月別の診察件数を記した)

食べた現場を見ていないことが多いから

# 口にした？と思ったら、
## 状況別の対応を

「弊院の診察経験でいうと、猫の誤食・中毒のケースのほとんどで飼い主さんが食べた現場を目撃していません。また、愛猫がフード以外のものを食べるとは思っておらず、誤食を疑ってもいないことが多いです」（服部先生）。

　誤食の現場を見ていなかったり、本当に誤食したかどうかわからないような場合でも、飼い主さんの対応次第で愛猫の命が助かる可能性が高まります。異変を落ち着いて観察し（下）、状況に合わせて対応しましょう。

各ケースはP14へ

\check!/

### 誤食した猫によく見られる異変

- ☐ 連続して、あるいは間隔をあけながら何度も吐く
- ☐ 吐こうとしているのに吐けない
- ☐ 食欲がない
- ☐ 口をしきりに気にする、開けたり閉じたりする
- ☐ よだれを流す（口をくちゃくちゃさせることが多い）
- ☐ 元気がなかったり、じっと丸まったりする
- ☐ 体が震えている

## 「異物を飲み込むところは 見たことがなかった…」

ジョイントマットを食べた
すすちゃん（5才、メス、ミックス）の飼い主さん

　わが家の猫・すすはプラスチックやビニールをかじるクセがあ
り、「ウールサッキング（P115）のようなものかな？」と思ってい
ました。それでも異物をかじっても「飲み込む」ところは見たこと
がなかったので、噛むことで満足しているのかな〜と自己判断し
ていました。
　ところが先日、買い物から帰宅すると、嘔吐の痕跡が8箇所ほ
ど……。フードを戻した1箇所以外はすべて泡のような胃液ばか
りで、元気がない様子。何か食べてしまったのかわからないまま、
急いでかかりつけの動物病院へ連れて行きました。

　ひとまず注射と点滴で催吐剤の処置をしていただきましたが、す
すはすでに限界で怒り倒していて、検査のための血液採取ができ
ず帰宅。翌日は休院のため自宅でもやもやしていましたが、再び
病院へ行く日にトイレ掃除をしていたら、ウンチに何か混じって
いる……。ビニール袋に入れてもみもみして中身をチェックする
と、1×2cmほどの青い欠片。それは床に敷いていたジョイントマッ
トでした。まさかこんな物を食べていたとは……。でも、ウン
チに混じって出てきてくれてほっとしました。マットは部屋に20
枚くらい敷き詰めていましたが、この事件のあとはすべて撤去し
て廃棄しました。

- 猫が誤食するところを見た
- 嘔吐物に異物が含まれていた
- 食べた残骸が残っていた
- 「食べたかも?」と思い当たることがある

例
- 猫が勝手に遊んでいたおもちゃが、ボロボロになっていた
- ゴミ箱や三角コーナーに捨てた食品ラップがかじられていた
- しまったはずのおやつやフードが、パッケージごとかじられていた
- 紐や糸、ヘアゴムや針などの小物類が、見つからない
- 布製品がボロボロにほつれている　など

▼

**❶ 次のうち、1つでも該当する場合**

☐ 大量または大きい・長い物を食べた (ようだ)
☐ 少量であっても有毒性のものを食べた (ようだ)
☐ 尖った物を食べた (ようだ)
☐ 食べてから、猫の様子に異変 (P12参照) がある

———————→ **大きく体調を崩す恐れがあります。**

| 対応 | 動物病院に連絡して状況や症状を伝え、早急に受診しましょう。原因となる物がいまいちはっきりしない場合でも、その特定に時間をかけるよりもまず受診です。 |

**❷ 上記の☐のチェック項目に当てはまらず、**
**かつ元気・食欲もある場合**

———————→ **ウンチに混じって出てくる可能性があります。**

| 対応 | 念のため獣医師に指示を仰ぎ、その後も吐いたり、排泄物から出てきたりしないか、よく観察しましょう。 |

## CASE 2

・食べるところも残骸も見ていないが
　猫に異変（P12参照）がある

▼

──────→ 誤食やほかの原因で不調をきたしている
　　　　　　　恐れがあります。

| 対応 | 早急に受診しましょう。 |

## CASE 3

・ウンチに異物が含まれていた

▼

❶ すべて出ている（出ていそうな）場合

──────→ とくに問題ないでしょう。

| 対応 | もしその後、猫の様子に異変があれば受診しましょう。 |

❷ なかなか出てこない部分がある（ありそうな）場合

──────→ 体内に残っている恐れがあります。

| 対応 | 緊急性は誤食した物や量にもよりますが、その後ウンチの観察を続けて、目安として1週間程度経っても出てくる様子がなければ、受診したほうがいいでしょう。 |

＊ここでは一般的な例として紹介していますが、猫が口にした異物の量や健康状態によっては個別の対応
　が必要となる場合があります。かかりつけの獣医師からの指示があればそれに従ってください。

## 受診前に「やってはいけない」こと

### NG 食べてしまった物を無理に吐かせる

猫に吐かせる方法がインターネットなどに書かれていますが、飼い主さんが安全に猫に吐かせる方法は基本的にはありません。吐かせようとする時間があるのなら、一刻も早く獣医師に任せましょう。以下の方法は、危険な行為なのでやめてください。

- 塩で吐かせる：塩をそのままなめさせたり、あるいは一昔前には練乳に塩を溶かして飲ませる方法も唱えられていましたが、吐くことができないと「ナトリウム」の過剰摂取で「高ナトリウム血症」になります。喉の渇きのほか、重度では神経症状が出ることもあり、痙攣、昏睡状態に陥る恐れがあります。
- 「オキシドール」で吐かせる：食道や胃の粘膜を傷付けて、ただれてしまう原因になります。

### NG 受診前に何とか食べさせようとする

よくあるのが、愛猫に食欲がないことを心配して、飼い主さんが「何とか食べさせよう」としてしまうケース。胃の中に食べ物があると、その日のうちに内視鏡やレントゲン、エコーなどの検査ができなくなり、診断（発見）・治療を遅らせることになってしまいます。受診するまで何も食べさせないでください。

## おしりから飛び出ている物を引っ張る

紐状の誤食物は、おしりの穴から少しだけ飛び出たままになることがあります。指でつまんで抜きたくなりますが、腸の内壁を引っ張ってしまい組織を壊死させてしまう恐れがあるので、そのままの状態で受診しましょう。飛び出ている部分が長過ぎて猫が気にしてしまう場合は、少しカットしてもかまいません。エリザベスカラーがあれば付けて、猫がなめないようにしましょう。

---

# 受診時に「したい」こと

## 「いつ」「どんな物を」「どれだけ」食べたのか伝える

食べるところを見ていないと正確にはわかりませんが、「○時までは元気だった」など、できるだけの情報を獣医師に伝えてください。誤食した異物が商品であればパッケージを持参すると、成分や量を知るヒントに。とくに中毒が疑われる場合、飼い主さんからの情報があるほど解毒剤等による治療を速やかに行うことができます。

## 誤食した残骸があれば、持参する

かじった異物の残骸や誤食した物が混じった嘔吐物があれば、直接触らないようにゴム手袋等を使ってビニール袋などに入れ、受診の際に持っていきましょう。また、残骸がない場合も、食べた可能性がある物と同じ物が別にあるようなら持参してください。

---

吐くことも排泄もできなければ、内視鏡か開腹手術

# 誤食時の
## おもな診断と治療

＊症状や重症度、動物病院の方針によっては異なりますので、
　かかりつけの動物病院で獣医師の説明を受けてください。

### 診 断

● 触診する

　腸に硬い物や大きい物、大量に食べた物が詰まっていると、外側
から触れたときにしこりのように硬くなっていたり、猫が痛みから
嫌がったりするなどの兆候があります。

● X線検査や超音波検査を行う

　金属や骨などの異物は、X線撮影
によるレントゲン写真に映ります。
しかし猫が誤食しやすい紐や糸、輪
ゴム、シリコーン、プラスチック、ビ
ニール、竹串などは透過性の異物で
透けてしまい、確認できません。た
だし最近では超音波検査の精度が高
くなってきていて、レントゲンで確
認できない物を発見するのに有効な
ツールとなっています。

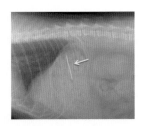

胃に留まっている針。金属はX線
撮影ではっきりと映る。

治療

## ● 催吐薬を使って吐かせる

　猫は吐かせようと思ってもあまり吐かないのですが、毒性のある
ものを食べた場合や、異物が胃に留まっていて食道をスムーズに通
過できそうな場合は、催吐薬を点滴や注射で投与することがありま
す。猫では「トラネキサム酸」という薬がよく使われます。「オキシ
ドール」は食道や胃がただれてしまうリスクがあり、最近ではあま
り使われなくなってきています。

## ● 胃洗浄、吸着薬・下剤・解毒薬の投与

　毒性のあるものを食べてしまった場合は、体内の毒物を取り除く
ために、以下のような処置を行うことがあります。

- ・胃洗浄：猫が意識を失っているか麻酔をかけた状態で口か
  らチューブを入れて、生理食塩水やぬるま湯を注入し、胃の
  中を洗浄します。ただし、効果は比較的少ないとされています。

- ・吸着薬：活性炭（ほとんどの毒物に有効ですが、果物や植
  物の種に含まれるシアン化合物には無効）と水を混ぜたもの
  を胃チューブなどで投与します。

- ・下剤：脂溶性の毒物の場合は、ベビーオイルなどにも使われ
  る「流動パラフィン」等を使って、腸の内容物を排泄させます。
  浣腸液を使って腸を洗浄することも。

- ・解毒薬：中毒の原因となっている成分に対する薬を投与して、
  体への吸収を妨げたり、作用を中和させたりします。

## ● 内視鏡手術を行う

レントゲンや超音波の検査を行ったうえで、食道や胃に異物が留まっている場合は、猫に全身麻酔をかけて内視鏡によって摘出を試みます（難しいですが十二指腸の異物を取り除けることも）。口から内視鏡を入れて食道や胃の中の異物を映像で探り、内視鏡の先端に付いた鉗子に引っかけて取り除きます。

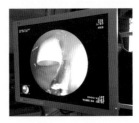

胃の中に留まっている異物。映像を見ながら取り除く。

## ● 開腹手術を行う

以下のような場合では、体にメスを入れる開腹手術を行います。とくに、緊急の処置が必要になるのが、腸閉塞を起こしていたり、紐や糸が絡まってしまっているケースです。食道は胃腸に比べて手術が難しく、切開できる動物病院は少ないでしょう。

- ・内視鏡で異物を取り除くことができない（できなかった）場合
- ・異物が腸に達してしまっていて排泄できない場合
- ・鋭い物が胃腸に深く刺さっていて取り出せなかったり、穿孔がある（穴が開いている）場合

ペットが誤食して受診した際の
飼い主さんの言葉トップ3

「ちょっと目を離したすきに」　　　　　　　**92**%
「『あっ』と思ったときには、もう遅くて」　　**91**%
「危ないといつも気を付けていたのですが」 **63**%

＊「獣医師172人に聞きました〜誤飲で来院された飼い主からよく聞く言葉」
　（アニコムホールディングスによる2011年の調査）より上位抜粋

# 1

## 猫が食べると危ない食品

人が体内に取り込んでも
まったく問題がない食べ物や飲み物でも、
それらに含まれる成分が猫の体にとっては
「少量でも毒」になってしまうことがあります。
人の食事にまったく興味を示さない猫もいますが、
逆に何としてでも食べたがる食いしん坊な猫も。
猫は何が自分にとって毒となるか知りませんので
飼い主さんが遠ざけてあげましょう。

### 食べさせないための基本の対策

- 中毒のリスクが高い食品と飲料は覚えておき、飼い主さんが知らぬうちに与えないようにする。

- 食いしん坊な猫が勝手に食べることがないように、置きっぱなしにしない。

- 与え方や量によっては体に害を及ぼす食べ物もあるので、間違った方法では与えない→P44〜

危険度の  について

3段階で危険性を評価。命に関わることもあったり、少量でも中毒のリスクがある
ものを最も危険度が高い    として判定しています。

# チョコレート
Chocolate

危険度 🐱🐱 ～

ダークチョコレートは 🐱🐱🐱

# ダークチョコレートは
# ひと欠片でも危険！

　チョコレートは、とくにペットの誤食の報告件数が多い食品。例としてアメリカの中毒管理センターの報告では、2019年にあった相談の10.7％を占め、1日あたり67件以上にものぼっています。甘みとカカオ味を好む犬で誤食が多いですが、猫が食べても中毒に。落ち着きがなくなって興奮状態になり、嘔吐・下痢などを起こします。重度では神経や心臓に過度な負担がかかり、死に至る恐れも。

　中毒のおもな原因となるのは、原料のカカオに含まれる「テオブロミン」という成分です。人にとっては気分や集中力を高める作用がありますが、犬や猫はテオブロミンを体の外へ排出する能力が低いようです。また、カカオには「カフェイン（P27）」中毒のリスクもあります。テオブロミンやカフェインによる中毒を発症する量は体重1kgあたり約20mg（40〜50mg/kgで重症化、60mg/kgで痙攣）[*]。目安としてチョコレートの重量に換算すると、以下の通り、カカオの含有比率が高いダークチョコレートが最も危険です。

---

### 中毒症状が現れるチョコレート摂取量の目安

・ダークチョコレート：体重1kgあたり〜5g

・ミルクチョコレート：体重1kgあたり10g

・ホワイトチョコレート：よほど大量に食べない限り
　　　　　　　　　　　　　　　中毒にはならない

---

　最近はカカオポリフェノールのブームから高カカオのダークチョコレートが流通していますが、猫はひと欠片食べたけでも危険です。猫は砂糖の甘みも感じないので、バレンタインデーなどでは猫用の物をプレゼントしてあげてくださいね。

[*] Sharon Gwaltney-Brant(2001) : *Chocolate intoxication*参考

# カフェイン入り飲料

Caffeinated Beverages

危険度 ✕✕ ✕✕ ✕✕

## コーヒーや紅茶以外の
## カフェイン入り飲料にも注意

コーヒーや紅茶などに含まれる「カフェイン」は、眠気や疲労を取り除いて集中力を高める覚醒作用のほか、呼吸機能や運動機能を高めたり、利尿作用もある成分です。仕事や勉強をがんばりたいというときに飲む方もいるかと思います。

適量を摂取すれば人の体にはよい影響もありますが、人よりも体の小さい猫が摂取すれば、効果が働き過ぎてしまい、嘔吐・下痢、過度な興奮や動悸、不整脈、震え、痙攣といった症状を引き起こす恐れがあります。カフェインは、標準的にはコーヒーや紅茶以上に、玉露茶に多く含まれています。

---

### 飲み物の種類別カフェインの量の目安

・玉露茶：160mg（茶10gを60℃の湯60㎖で2.5分浸出）

・コーヒー：60mg（粉末10gを熱湯150㎖で浸出）

・紅茶：30mg（茶5gを熱湯360㎖で1.5〜4分浸出）

・煎茶：20mg（茶10gを熱湯430㎖で1分浸出）

・ほうじ茶、ウーロン茶：20mg（茶15gを熱湯650㎖で30秒浸出）

＊「日本食品標準成分表2015年版（七訂）」参考

---

上記のほか、カフェインはさまざまな栄養ドリンクや、コーラ（コーヒーの約6分の1）などにも含まれています。

カフェインの摂取による致死量の目安は猫の体重1kgあたり100〜200mgですが、中毒症状は体重1kgあたり約20mgで現れると考えられています。体重3〜4kgの猫であれば、コーヒーならカップ1杯分近くになるのでなかなかそこまで飲む猫もいないと思いますが、体重1kgの子猫なら少量でも危険です。

# アルコール飲料

（アルコール入りの食品も）

## Alcoholic Drinks

危険度 🐱 🐱 🐱

少量だとしても
急性アルコール中毒に

ビールやワイン、日本酒、焼酎、ウイスキーなど、お酒に強い人
もいれば弱い人もいますが、人よりも体が小さく、アルコールを分
解することができない猫は、基本的には「かなりお酒に弱い」と考え
ていいでしょう。一般的には、飲んでからあまり時間をおかずに急
性アルコール（エタノール）中毒になります。

耐性には個体差があり、飲むスピードも影響するので、危険な量
は一概にはいえませんが、一口飲んだだけでも危険な状態になるこ
ともあります。アルコール度数が高い飲料ほど危険です。

> **アルコール度数（容量％）の目安**
>
> ・ウイスキー：40.0％
> ・焼酎（連続式蒸留）：35.0％
> ・日本酒（普通酒）：15.4％
> ・赤ワイン：11.6％　　・白ワイン：11.4％
> ・発泡酒：5.3％　　　・ビール（淡色）：4.6％

＊「日本食品標準成分表2015年版（七訂）」参考

猫がアルコール中毒になると、嘔吐・下痢、呼吸困難、震えなど
の症状が見られます。重症化すると、昏睡状態になり、誤嚥や窒息、
呼吸抑制によって亡くなる恐れも。「ちょっと飲んでみる？」と、好
奇心から与えるような行為は、絶対にやめましょう。

また、人の飲み物をほしがる猫の場合、テーブルの上のお酒から
目を離さないようにしましょう。飲料だけに限らず、生のパン生地
や、ラム酒漬けのレーズンが入ったケーキなどにもアルコールが含
まれるので、与えないようにしてください。→除菌・消毒液のアルコ
ールはP145へ

1章　猫が食べると危ない食品

# バラ科のフルーツの種、
# 未熟な実

（アンズ、カリン、ビワ、ウメ、モモ、プラム、サクランボなど）

Seeds and unripe fruits of the Rosaceae family

危険度 😿 😿 😿

# 種や未成熟の実には
# シアン化合物が含まれる

たとえばバナナやいちご、メロンといったフルーツの実は、猫が食べてしまっても問題ないものもありますが（ブドウP43や中毒物質が含まれるものP54は除く）、一般的に糖分が多くカロリーが高めです。あえて与える必要もありませんが、愛猫が好み、アレルギーがないことが確認できれば、「たまに」「少量」を、コミュニケーションの一環として与えることは問題ないでしょう。ただし、アンズ、カリン、ビワ、ウメ、モモ、プラム、サクランボなどのバラ科に属するフルーツでは、種と未熟な実に注意が必要です。

## 大きい種は、中毒のほか腸に詰まるリスクも

種の中には、胃腸で分解されると青酸を生じるシアン化合物の一種「アミグダリン」などが含まれています。そのため大量に食べてしまうと、めまいやふらつきなどの症状を起こし、呼吸困難や心臓発作で突然死する可能性もあります。いずれも猫がよく好むフルーツというわけではありませんが、もし猫が種ごと多く食べてしまった場合は、獣医師に相談しましょう。

シアン化合物は種だけではなく、未熟な実にも含まれます。たとえば梅干しを作るために収穫・購入した生梅を多くかじってしまうと、中毒の恐れがあります。また、シアン化合物は茎や葉にも含まれ、しおれていく過程で増えるようです。サクランボの茎も、猫が食べないように注意しましょう。

梅干しの種は、中毒よりも、飲み込んでしまったことが原因で腸閉塞を起こす危険のほうが大きいです。猫が遊びながら口にしないように、落としてしまったら拾って蓋付きのゴミ箱へ。

# 玉ねぎ、ネギなど

（ニラ、らっきょうなども）

Allium spp.

危険度 🐱🐱 ～

## 重度の貧血を起こす成分は
## 加熱してもなくならない

人が食べてもまったく問題ない玉ねぎやネギですが、「有機チオ硫酸化合物」が含まれていて、猫が摂取すると、血液中の赤血球にハインツ小体（酸化したヘモグロビンが集まってできる塊）ができ、赤血球が破壊されるリスクがあります。結果、溶血性貧血や血色尿、さらに赤血球の色素が腎臓を破壊して急性腎障害を起こすことがあり、最悪、死に至ることも。初期では嘔吐・下痢、呼吸困難、食欲不振も見られます。ニンニク（P37）やニラ、らっきょう、エシャロット、チャイブなども、分類上「ネギ（*Allium*）属」で同じリスクがあります。猫の場合、玉ねぎを体重1kgあたり5g食べると血液学的な変化を起こすという報告\*もあり、犬以上に有機チオ硫酸化合物の影響を受けやすいと考えられます。

\* R.B. Cope (2005) : *Allium species poisoning in dogs and cats* 参考

## 料理の中に隠れているネギ類に注意

　猫はネギ類のニオイも嫌いやすく、辛味もあるので、生のまま食べることは多くありませんが、ハンバーグやシチュー、焼き鳥のねぎま、野菜炒めなど、猫が好みやすい肉を使った料理は注意。加熱すれば甘みが加わりますが、毒性はなくなりません。ネギ類を除いて与えたり、スープだけ与えても、エキスが含まれていれば中毒になります。焼肉のタレなど、見た目ではわからなくても玉ねぎエキスが含まれている食品類もあります。また、鉢植えの小ネギは、猫草感覚でかじってしまう恐れがありますので、庭やベランダへ。

　通常は3〜4日後、大量に食べた場合は1日と、ネギ類の中毒は症状が現れるまでに時間がかかります。症状が出ないこともありますが、食べたとわかったら受診して解毒の処置を受けてください。

# アワビ類と
# サザエの内臓（肝）

Entrails of Abalones and Turban Shell

危険度 ✕✕ ✕✕

## 春先のアワビの肝は
## 光線過敏症の原因に

　江戸時代に書かれた百科事典には、「猫、鳥蛤の腸を食へば、則ち耳脱落す也」という記述\*があります。ここから転じたのかは定かではありませんが、東北地方でも「春先のアワビのツノワタ（内臓）を食べさせると猫の耳が落ちる」と、言い伝えられています。

　このような話は迷信とはいえず、現在も、アワビ類（クロアワビ、エゾアワビ、メガイ、トコブシなどのミミガイ科）の内臓は、猫に食べさせてはいけない部分として知られています。理由は、とくに2〜5月の「中腸線」という消化管（ウロ、ツノワタ、トチリなどとも呼ばれます）に、食べた海藻の葉緑素「クロロフィル」が分解されてできる「ピロフェオホルバイドa」が蓄積するためです。ピロフェオホルバイドaは光に反応して活性酸素をつくる物質で、口にしてから日光に当たると活性酸素が悪さをして、皮膚に炎症を引き起こします。この病気を「光線過敏症」といい、猫では日光に当たりやすく毛が薄い耳が赤く腫れて、痒みや痛みといった症状が出ます。ピロフェオホルバイドaは、アワビよりは弱毒ですが、サザエの内臓にも含まれています。

\*和漢三才図会 第47巻 介貝部（『和漢三才図会 中之巻』寺島良安編／中近堂）参考

## ほかの貝も、別の中毒を起こすリスクはある

　では、ほかの貝類は安全かというと、たとえば身近なアサリやシジミも、多量に摂取すると「ビタミンB1」の欠乏を起こす「チアミナーゼ（P41）」が含まれます。加熱することで毒性はなくなりますが、あえて与える必要もありません。貝類の内臓は種類によって体内での位置や毒性などがそれぞれ異なることを考えると、飼い主さん判断で与えないほうが安全といえるでしょう。

# 香辛料類

Spices

危険度 🐱 〜

ニンニク、ナツメグは 🐱 🐱

## 料理に隠れていて
## 与えてしまっても気づきにくい

　料理の香りをよくしたり、辛みや風味を加えるために使う香辛料。植物の種子や実、葉などを乾燥させたり、香味野菜をすり下ろしたものなど、さまざまな種類がありますが、猫が口にすると中毒を引き起こすものもあります。たとえばハンバーグなどの肉料理で臭みを消すためによく使われるナツメグ（ニクズクの種）を摂取すると、嘔吐や口の渇き、瞳孔の拡大または収縮、心拍数の上昇のほか、歩いたり立ち上がったりすることが困難になる恐れがあります[*]。

　また、唐辛子、わさび、からし、コショウなどの人が口にしても刺激がある香辛料類やシナモンも、量によっては胃腸障害につながる恐れがあります。

＊ APCC(2020)：*When Pumpkin Spice is Not So Nice*参考

## ニンニクは、ネギと同じ中毒に

　とりわけ注意したいのがネギ属（P32）のニンニクです。人では、食欲増進や疲労回復などさまざまな効能があるとされていますが、猫の場合、唐揚げなどの味付けに幅広く使われているすり下ろしニンニクや、フライドチキンなどのガーリックパウダーなどを口にしただけでも、中毒症状が現れる恐れがあります。しかも猫によっては、この独特な香りを好むのか、積極的に食べようとすることがあります。猫に人の食べ物をお裾分けする場合、ニンニクのエキスが含まれていないかも確認しましょう。

　「診察では、人用のニンニク卵黄のサプリを、おそらく数粒食べて中毒になった猫もいました。その子は"何だか元気がない"くらいで、重篤な症状には至りませんでしたが、ニンニク系のサプリも避けたほうがいいでしょう」（服部先生）。

# ココア

Hot Chocolate

危険度 🐱🐱 〜

純ココアは 🐱🐱 🐱🐱

# 純ココアにはテオブロミンが
# 多く含まれている

寒い季節、体を温めたいときに飲みたくなるホットココア。材料となる粉末のココアはチョコレートと同じくカカオが主原料なので、猫がココアを飲むと「テオブロミン（P25）」や「カフェイン（P27）」の中毒になる恐れがあります。

　お湯やミルクで薄めるぶん危険度はチョコレートほどではありませんが、ココアに含まれるテオブロミンやカフェインの量も、製品によって異なります。ミルクココアよりも、純ココアのほうが中毒のリスクが高く注意が必要です。

---

**粉末100gあたりのテオブロミンの量の目安**

・純ココア（ピュアココア）：1.7g
・ミルクココア（インスタントココア、調整ココア）：0.3g

＊「日本食品標準成分表2015年版七訂」参考

---

　目安として、ホットココアを1杯作るのに仮に純ココアの粉末を5g使うとすると、「テオブロミン：85mg（100gあたり1.7g）」＋「カフェイン：10mg（100gあたり0.2g）」で合わせて95mgが含まれます。体重1kgあたり約20mgの摂取で中毒症状が現れることを考えると、体重3kgの猫の場合は60mgの摂取、つまりカップ3分の2程度を飲むと危険ということになります。

　一方でミルクココアに含まれるカフェインは微量ですが、牛乳の味を好む猫では、ミルクたっぷりのものを飲んでしまうかもしれないので注意が必要です。

　ココアの粉末は、ココア味の焼き菓子やケーキなどにも使われていることがあります。飲料だけでなく、食品にも注意してください。

# 生のイカ・タコ・
# エビ・カニ

Raw Squid, Octopus, Shrimp, and Crab

危険度 😿

スルメは 😿😿

## ビタミンB1を壊す酵素の作用は
## 加熱すればなくなる

お刺身が食卓に並ぶと食べたがる猫もいますし、あるいは飼い主さんがお裾分けしてあげたいと思うこともあるかもしれませんが、イカ・タコ・エビ・カニを「生のまま」与えるのはやめましょう。

これらの食材には「チアミナーゼ」という酵素が含まれていて、多く摂取すると、「ビタミンB1」が欠乏することがあります。食欲低下や嘔吐、体重の減少などが見られ、重度では、フラフラと歩いたりするなど、神経症状が見られるように。猫が健康に生きていくためにはビタミンB1を多く必要とするので、犬と比べても症状が出やすい傾向があるようです。

チアミナーゼは、とくにイカの内臓に多く含まれているので、「猫がイカを食べると腰を抜かす」という俗説は、あながち迷信というわけではないのでしょう。とはいえ、お刺身を一口食べて症状が出るような危険はなく、問題となるのは「大量」「長期的」のケースと考えられます。また、チアミナーゼは熱に弱いので、火を通したものであれば食べても大丈夫です。

## スルメは体内で膨れて危険！

イカやタコはあまり消化がよくありませんが、猫が肉をスムーズに消化できる真性肉食動物であることを考えると、多量でなければ消化器への負担はさほど大きくないはずです。ただし、乾燥させた「スルメ」は、硬いので消化しにくい可能性があり、さらに胃の中で水分を含んで10倍以上に膨れ、吐くこともできず胃腸に留まってしまう危険があります。炙るといいニオイがしますが、猫がほしがっても与えないようにしましょう。→その他の魚を与える場合の注意点はP45

# 「犬などに毒」だから
# 念のため避けたい食べ物

（ 危険度 ？？？ ）

## アボカド Avocado

　アボカドの葉、実、種に含まれる成分「ペルシン」を、人以外の動物が摂取すると、嘔吐・下痢、呼吸困難などを起こすといわれています。とくに鳥やウサギは心血管の損傷で命を落とすこともあり、ほかに馬、羊、ヤギでも中毒の報告があります。ただし犬猫に対する毒性については、どれだけ摂取するとどのような兆候があるのか、まだはっきりとわかっていません。とにかく猫が食べないようすることが大切です。

## キシリトール Xylitol

　甘味料等に活用される糖アルコールの一種。人では虫歯予防に有効ですが、犬には有害です。中型犬がキシリトールガムを2〜3枚食べただけで、血糖値の低下や肝不全を起こす恐れがあります。アメリカの動物中毒管理センターの2019年のコラム＊では「人間、猫、フェレットは、キシリトールの影響を受けない」とされていますが、あえて与える必要もありません。

＊ APCC(2019)：Updated Safety Warning on Xylitol: How to Protect Your Pets

## ブドウ、レーズン Grapes, Raisins

　ブドウやレーズンのどの成分が有害となるかは不明ですが、犬が食べると、急性腎障害になることが知られています。猫では報告が確認できませんが、「定期的にレーズンをもらっていて腎臓病にかかった猫の診察経験はあります。病気の原因がレーズンにあるかどうかは判断が難しいですが……」(服部先生)。くわしい情報がわからないため、現時点では食べることはおすすめできません。

## ナッツ類 Nuts

　マカダミアナッツは犬に有害です。多く食べると(とくに後ろ足の)脱力感や、嘔吐・下痢を引き起こします。毒となる成分がわかっていないので、猫でも与えないほうがいいでしょう。なお、アーモンドやクルミなどの実、ココナッツの果肉やミルクには油脂が多く含まれているので、多量に与えると胃腸に負担がかかる恐れがあります。

＊APCC(2015)：*Animal Poison Control Alert: Macadamia Nuts are Toxic to Dogs*参考

体に害を及ぼすこともあるから…

# 人が食べるものを
# 与えるなら気をつけたいこと

　まず前提として、猫のふだんの食事は、愛猫の年齢やライフスタイルに合った質のよい「総合栄養食」のキャットフードを与えるのが基本です。総合栄養食とは、水とその食事だけで健康を維持できる「主食」のフードのこと。総合栄養食を適正量与えれば、あえて人の食べ物を与える必要はありません。むしろ与え続けると栄養バランスは崩れやすくなり、ときには必要な栄養の吸収を妨げるなど悪影響を及ぼすことになります。

　とはいえ、「食欲が落ちていてもかつお節をトッピングすると食べてくれる」「特別な日のお祝いにはお刺身を少し分けてあげたい」といったシーンもあるかと思います。また、難易度は高いですが、栄養バランスを整えながら、手づくり食・おやつにこだわる飼い主さんもいらっしゃいますね。

　そこで、魚・肉・卵・乳製品・野菜・フルーツを「もし与えたい場合」の注意ポイントをそれぞれ解説します。

与え方に注意したい

# 魚

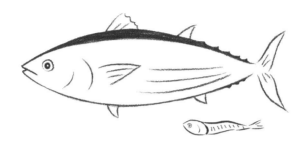

**POINT 1**

## 煮干しやしらす干しは、ミネラルが多い

　猫の代表的な疾患「尿石症（尿路結石、P47）」。その予防法として、よく「ミネラルが多いかつお節や煮干しをあげ（過ぎ）ないように」と解説されています。しかし両者は"同等"ではなく、100gあたりの標準的な成分量を比較すると、かつお節より煮干しのほうが食塩相当量はずっと多く、カルシウムも約78倍（次ページ表）。煮干しは過去に尿石症にかかった猫や食事制限のある猫には与えず、健康な猫にも、1週間かけて1匹を与える程度に調整しましょう。

　乾燥させ水分を除いた魚介類には、旨味と成分がぎゅっと濃縮されています。しらす干しも半乾燥させた状態では、ナトリウム量が煮干し以上に。干物類やツナ缶など、塩分や添加物を加えた加工食品を猫がほしがる場合も、できるだけごく少量に留めて、人が食べてしょっぱいと感じるようなものは避けてください。

- COLUMN -

# 一方、かつお節はそうでもない

かつお節の100gあたりの標準的な食塩相当量は0.3～1.2g程度で、一般的な猫用おやつと比べてもあまり変わりません。一例ですが、尿石症などに対応する療法食よりも低いようです。では、好き勝手に与えていいかというと、猫の総合栄養食・療法食には「猫に必要十分なミネラルがすでに含まれている」ので、プラスしてたくさん与えればやはりミネラル過多になります。「食欲が落ちたときにフードに一つまみかける」くらいがいいでしょう。

おもなミネラル・食塩量を比較してみました！
（数値は100gあたり）

| | ナトリウム | カリウム | カルシウム | マグネシウム | リン | 食塩相当量 |
|---|---|---|---|---|---|---|
| 煮干し | 1700mg | 1200mg | 2200mg | 230mg | 1500mg | 4.3g |
| かつお節 | 130mg | 940mg | 28mg | 70mg | 790mg | 0.3g |
| 削り節（包装品） | 480mg | 810mg | 46mg | 91mg | 680mg | 1.2g |
| しらす干し（微乾燥） | 1600mg | 210mg | 210mg | 80mg | 470mg | 4.1g |
| しらす干し（半乾燥） | 2600mg | 490mg | 520mg | 130mg | 860mg | 6.6g |
| 市販の液体おやつの一例 | － | － | － | － | － | 約0.7g |
| 「下部尿路疾患」対応の総合栄養食の一例 | － | － | 600mg | 75mg以上 | 500mg | － |
| 「腎疾患」対応の療法食の一例 | 452mg | 904mg | 719mg | 82mg | 411mg | 1.14g |
| 「尿路結石」対応の療法食の一例 | 1296mg | 996mg | 870mg | 58mg | 870mg | 3.29g |

※食品は「日本食品標準成分表2015年版（七訂）」より抜粋。※フードのミネラル量はパッケージや成分表を参考（－はパッケージに記載なし）にし、食塩相当量は上記成分表と揃え、ナトリウム(g)×2.54で計算
※おやつの塩分は、塩分濃度計を用いて測定

## 「シュウ酸カルシウム」由来の尿石症が増加中

　尿石症は、腎臓・尿管の「上部尿路」や、膀胱・尿道の「下部尿路」にできた結石が組織を傷付ける病気。血尿（潜血のこともあれば顕微鏡でわかる程度の場合も）を伴い、とくにオスでは石が尿道に詰まり、重症化しやすい傾向があります。

　猫では、おもにマグネシウム由来の「ストラバイト（リン酸アンモニウムマグネシウム）」と、カルシウム由来の「シュウ酸カルシウム（シュウ酸塩の一種）」の2種の結石ができます。

　過去、ストラバイトが主流でしたが、近年の世界的な傾向として、シュウ酸カルシウムによる症例が増加しています。その原因はまだはっきりとはいえませんが、猫の食生活の変化が影響しているという見方も。どちらの結石も予防するためには、マグネシウムとカルシウム、両方の過剰摂取を避けましょう。

尿石症の猫のオシッコ。細かい砂のような「結晶」が多量に含まれ、濁っています。結晶が集まって、石のように固まったものが「結石」です。

### 猫にできる代表的な2つの結石

ストラバイト

一般的に、丸みがあります。

シュウ酸カルシウム

トゲトゲした形で、猫が痛みを強く感じる可能性があります。

**POINT 3**

# 魚（とくに青魚）ばかりを与えると、黄色脂肪症に

　猫は先祖の代では陸上で鳥類や哺乳類の小動物を捕まえて食べてきた肉食中の肉食、「真性肉食動物」です。にもかかわらず、日本では人の食文化の影響が大きいためか、「猫は魚好き」という印象が定着しています。

　魚はたしかに良質なタンパク質源ですが、「不飽和脂肪酸」を多く含む点を気にする必要があります。とくに豊富に含まれるのがアジ、イワシ、サバ、サンマなどの青魚です。不飽和脂肪酸は、人では血液の循環をよくする効果などが知られますが、一方、活性酸素と結合して病気の引き金となる過酸化脂質をつくる性質もあります。抗酸化作用のある「ビタミンE」を補いさえすればよく、魚系のキャットフードも問題ありませんが、「青魚ばかり食べる」＋「ビタミンEが補われない」のは危険。脂肪に炎症を起こして変色する「黄色脂肪症（イエローファット）」という病気にかかる恐れがあり、重度では亡くなることもあります。現在では日常的に魚を与えるような家庭は少ないので症例は減っていますが、青魚を頻繁にお裾分けするのは避けたほうがいいでしょう。

**POINT 4**

# 生魚は、新鮮なお刺身以外は与えない

　生魚には「ビタミンB1」を分解する酵素「チアミナーゼ」（P41）が含まれます。犬よりも猫のほうが「ビタミンB1」を必要とするので、連日生魚ばかりを与えるような食事ではビタミンB1欠乏症になる恐れがあります。

　また、生魚（とくに青魚）には線虫の一種、アニサキスが寄生して

いることがあります。チアミナーゼもアニサキスも、煮る・焼くなどの加熱によって破壊・死滅するので、加熱してから与えるほうが安心です。お刺身を与えるなら、傷んだものは嘔吐・下痢の原因となるので、必ず新鮮なものを少量だけ与えましょう。わさびなどの香辛料も刺激が強いので避けてください。

─── 猫にもある!? シガテラ中毒 ───

　「シガテラ」とは、熱帯及び亜熱帯海域のおもにサンゴ礁の周りに生息している魚類を摂取することによって起きる食中毒の総称。人では、温度感覚異常、関節痛、筋肉痛、掻痒、しびれなどの神経症状のほか、嘔吐・下痢、徐脈などを起こすことで知られていますが、犬や猫もシガテラ中毒にかかりやすいという報告があります。

　南太平洋のクック諸島で、唯一の動物病院Esther Honey Foundation Animal Clinicの6年間（2011年3月〜2017年2月）の診療記録を調査した結果では、犬165匹、猫81匹の計246例のシガテラ中毒の症例を確認。そのうち29％は魚類を摂取した記録がありました。症状の特徴は、運動失調や麻痺、腰痛が高頻度で認められ、ほかに呼吸器系と消化器系も影響を受けていることがわかりました。

＊ Michelle J. Gray & M. Carolyn Gates (2020) : A descriptive study of ciguatera fish poisoning in Cook Islands dogs and cats

与え方に注意したい

# 肉・卵

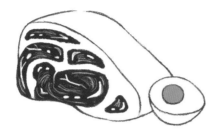

**POINT 1**

## 肉食だけど、「肉だけ」では栄養不足に

　猫は肉食動物ですが、人のようにきれいに切り分けた牛・鶏・豚などの畜肉を食べてきたわけではありません。ネズミや鳥などの小動物を捕まえて、内臓や軟骨まで食べて栄養を満たしていました。

　たとえば猫が体内で合成できず食事から摂取が必要な「タウリン」も動物の内臓に多く含まれている成分で、猫に内臓以外の肉だけ与えてもその必要量を補えません。キャットフードのほかに肉を与える場合でも、全体の4分の1以下に制限するほうがいいでしょう。

　猫は本来、生肉を食べていたとはいえ、大腸菌やサルモネラ菌などの食中毒のリスクを考えれば、加熱したほうが安心です。豚肉は寄生虫のトキソプラズマの感染リスクもあるので必ず加熱を。

**POINT 2**

## 肉がアレルギーの原因となることも

　最近は穀物や穀類を含まない「グレインフリー」のフードも充実し、

穀物アレルギーを心配して選択する飼い主さんもいますが、猫の場合、穀物だけでなく、肉（とくに牛肉）や魚などの動物性タンパク質がアレルゲンとなる傾向があります。特定の肉のフードを食べてから嘔吐・下痢、痒みや皮膚炎、脱毛などの症状が現れるようになったら、必ず獣医師に相談しましょう。

**POINT 3**

## レバーの与え過ぎは、ビタミンA過剰症に

　レバーは栄養価が高い食品ですが、「ビタミンA」が高濃度に含まれています。水に溶けにくい脂溶性ビタミンで、長期間与え続けると肝臓に蓄積し、猫の場合、とくに首から前足にかけて、骨の異常や筋肉の痛みを起こすことがあります。人では貧血時にレバーを食べたりしますが、猫では鉄分不足による貧血はあまりありません。猫の鼻や歯肉が白っぽく貧血のサインが見られたら命に関わることがあるので、急いで受診しましょう。

**POINT 4**

## 生の卵白は、ビタミンB欠乏症を招く

　卵を好む猫はあまりいないと思いますが、卵の白身に含まれる「アビジン」が問題になります。この成分はビタミンB群の一つ「ビオチン」と結合しやすく、ビオチンの吸収を妨げてしまいます。ただし卵黄にビオチンが多いので、全卵で与えればさほど問題がないようです。

　熱を加えればアビジンは失活して無害になります。サルモネラ菌や大腸菌の心配もあるので、与えるなら加熱済みのものにしましょう。

―COLUMN―

# 乳製品

### POINT 1

## 「牛の乳」は、お腹を壊しやすい

　よく漫画やアニメで、捨て猫や保護猫に牛乳をあげるシーンがあり、猫は牛乳を好むイメージがありますが、下痢をしてしまう猫もいます。猫にはもともと乳糖を分解する酵素「ラクターゼ」が少なく、乳製品に含まれる乳糖を消化吸収できないことがあるためです。

　生後2カ月頃までの子猫の栄養補給には、高タンパク・高脂肪の子猫用ミルクを与えてください。猫を保護してすぐに子猫用ミルクが手に入らない場合は、急場凌ぎに乳糖をカットしたタイプの牛乳を与えて、タンパク質や脂肪を補う方法も。「牛乳に卵黄を混ぜると、猫の母乳に近い成分になるといわれています」（服部先生）。

### POINT 2

## 乳製品でアレルギーを起こす猫もいる

　まれに牛乳やその他の乳製品が原因となって、食物アレルギーを起こす猫もいます。食欲がないけれど牛乳なら飲んでくれそうな場合や、猫が牛乳に興味津々で与えたい場合は、最初は試しに少しだけ与えて、体調に変化がないか様子を見るといいでしょう。「数分後に嘔吐」「数時間後に体を痒がる・発疹が出る」「翌日あたりに下痢」といった症状が見られたら受診を。以下もポイントです。

　・冷えたものは避け、人肌に温めてから与える。

- ・食事に足す場合、栄養やカロリーが過多にならないようにする。
- ・成猫やシニア猫用の猫ミルクも販売されているので活用しても。

**POINT 3**

## チーズは、脂質や塩分の摂り過ぎに注意

チーズは牛乳と同じくおもに牛の生乳から作られますが、乳糖の量は牛乳よりも少ないため、牛乳ほどは消化不良を起こしにくい乳製品といえるでしょう。一般的に牛乳よりも「タンパク質」が豊富ですが、「脂質」や「ナトリウム」「カルシウム」などのミネラルも多く含まれる種類が多く、過剰摂取につながりやすい欠点があります。猫に与えるとするなら、生乳から脂肪分を取り除いた脱脂乳を原料とするカッテージチーズか、脂質や塩分を減らした猫用おやつのチーズを少量与える程度にしましょう。

**POINT 4**

## ヨーグルトも乳糖ゼロではない

しばしば「ヨーグルトは乳糖を分解してあるので、猫に与えても大丈夫」といわれますが、「ラクトース（乳糖）フリー」ではない一般的なヨーグルトは、乳糖が完全には分解されていません。ごく少量の乳糖でも消化できない体質の猫だとお腹を壊してしまうことはあります。乳酸菌が腸内環境を整えるメリットがあり、好む猫も多いですが、ひとなめさせるくらいから試したほうがいいでしょう。与えるなら、糖分過多にならないように砂糖なしのプレーンのものを。

ちなみにヨーグルトには口臭を予防する効果があるという意見もありますが、獣医学的に証明はされていません。口臭は歯周病や腎臓病などの疾患の恐れもあるので、臭ったら受診しましょう。

与え方に注意したい

# 野菜・フルーツ

## POINT 1

### ほうれん草や小松菜はシュウ酸が多い

ほうれん草や小松菜などの青菜にはシュウ酸が多く含まれ、猫にできやすい「シュウ酸カルシウム」の結石（P47）の原因となる恐れがあります。茹でてアクを抜けばシュウ酸を減らせますが、継続的に与えないほうがいいでしょう。

## POINT 2

### アレルギーを起こしやすいフルーツもある

人でもモモやマンゴー、パイナップルなどの特定のフルーツでアレルギー症状が出ることがあるように、猫も嘔吐・下痢、痒みや湿疹などを起こすケースがあります。試す場合は少量を与えて異変が起きないか確認を。与え過ぎによる糖分の過剰摂取にも注意。

## POINT 3

### 柑橘類は、皮にエッセンシャルオイルを含む

ミカンやレモンに興味を持っても顔をしかめることがあるように、多くの猫は柑橘類の香りが苦手。そのため与えることも、猫が勝手に食べることもあまりないとは思いますが、柑橘類の皮に含まれるエッセンシャルオイルには「D-リモネン」という成分が含まれ、動

物が口にすると軽度の胃腸の不調を起こすことがあります。皮ごと使用したジャムなどの加工品も、念のため口にさせないようにしましょう。柑橘系の洗剤類にも芳香成分として含まれています。

**POINT 4**

## 猫の中毒のリスクが、まだよくわからないものも

ネギ類（P32）やナス科の未熟な実（P71）による中毒は広く知られますが、野菜やフルーツが猫に与える影響は、まだ実際の症例があまり広く共有されていません。しかし、たとえばイチジクなら

①イチジク属の植物（ベンジャミン、P87）は、猫が口にすると胃腸や皮膚の炎症を起こすことがある

②食用部分となる実には、光毒性作用を持つ物質「フロクマリン」が含まれ、人でも皮膚に刺激や炎症を起こすことがある

といった指摘があり、「猫が実を食べても中毒の心配がある」と考えることはできます。以下の野菜やフルーツも避けたほうが無難です。

COLUMN

---
#### 中毒物質が含まれる野菜やフルーツ
---

- ブドウ（全体）→P43

- アンズ、カリン、ビワ、ウメ、モモ、プラム、サクランボの種と未熟な実→P30

- サトイモ、ナガイモ：「シュウ酸カルシウム」を含み、汁液による皮膚炎を起こすことがある。

- ミツバ：未知のアレルゲンを含み、大量に扱う際に皮膚炎を起こすことがある。

- アスパラガス：汁液による皮膚炎を起こすことがある。

- 銀杏（イチョウの仁）：中毒の原因物質「ギンコトキシン」を含む。

- ナタマメ：種にアミノ酸類「カナバニン」、その他「コンカナバリンA」などを含む。

# 2 猫が食べると危ない植物

肉食動物である猫は植物中の成分（アルカロイド、
配糖体、サポニンなど）を肝臓で解毒できないため、
植物を口にすると中毒を起こしてしまうことがあります。
植物による猫の中毒の情報はおもに
海外での報告や文献が中心となりますが、
今回、日本で人気の花や植物の情報も広く収集しながら
「日本の飼い主さんが愛猫を守るために役立つリスト」を
作成しました。

## 食べさせないための基本の対策

● 植物による中毒の半数は1才までの猫が起こすとの報告
もあり、興味を示すかは個体・年齢差が大きい。猫が食
べようとしないか見極めて管理する。

● 「毒がある箇所を食べさせない」のではなく「極力植物ご
と遠ざける」ほうがよい。花粉や花瓶の水をなめただけで
中毒を起こしたり、一口で危険な植物（とくにユリP58）
は、猫が興味を示さなくても持ち込まない。

危険度の  について

植物の中毒は今後わかってくることも多いと想像できますが、現時点の情報からとくに危険性が高いものを    としました。海外の文献＊で中毒性が高いと指摘されている、重い症状が出やすい、死亡例がある、日本で広く浸透していて身近等の条件から総合的に判断しています。

＊ Gary D. Norsworthy (2010)：*The Feline Patient, 4th Edition*, P402〜等

# ユリ

（百合）

Lily

危険度 ✕✕ ✕✕ ✕✕

| | |
|---|---|
| 学名 | *Lilium* spp. & cvs. |
| 分類 | ユリ科／ユリ属 |
| 毒がある部分 | 花粉まで含むすべて |

## 身近＋毒性MAX。
## 猫にとって最も危険な植物

猫を飼っている人が、室内に持ち込まないほうがいい植物の代表がユリです。獣医師172人を対象にした犬猫のアンケート調査*では、観賞用ユリの誤食による診察経験があると答えた34人中、「死に至った経験がある」は12人が回答。診察・死亡ともに、植物の中では最も高い数字となっています。

交雑によってさまざまな品種が生み出されている植物で、花屋さんで購入できる観賞用のもののほか、ヤマユリ（*Lilium auratum*）やカノコユリ（*Lilium speciosum*）など自生するものまで含めたユリ（*Lilium*）属の花は、猫に対する毒性が極めて強く危険です。

＊アニコムホールディングスが獣医師向けに実施した、2011年のアンケート。暫定致死率35%〈死亡経験のある異物（12）/経験のある異物（34）×100〉

## 急性腎障害を起こし、死に至ることも

毒となる成分は未だはっきりとわかっていませんが、猫が1〜2枚の葉をかじったり、花を食べただけで3時間以内に嘔吐するといわれています。体に付いた花粉を毛づくろいでなめたり、生けてある花瓶の水を飲んだだけでも中毒を起こします。

ほかに症状は、抑うつ、食欲不振、元気消失、意識の混濁、多飲多尿など。皮膚炎や膵炎を起こすこともあります。猫では急性腎障害を起こすことがわかっていて、最悪、死に至ります。

また、かつてはユリ科だったヘメロカリス（*Hemerocallis*）属（ワスレグサ属）も、ユリ同様にすべての部分が猫に対して極めて有害。急性腎障害を引き起こします。いずれも口にしたと気づいたら、「緊急事態」と考えて直ちに受診を。

＊以上、APCC：*How to Spot Which Lilies are Dangerous to Cats & Plan Treatments*参考

# チューリップ

（鬱金香、うこんこう）

Tulip

危険度 😿😿 😿😿 😿😿

| 学名 | *Tulipa* spp. & cvs. |
|---|---|
| 分類 | ユリ科／チューリップ属 |
| 毒がある部分 | すべて。とくに球根 |

## 心毒性の成分などが含まれ
## 急性腎障害のリスクも

　春を代表する植物ですが、猫にとって最も危険な植物・ユリと同じ科（ユリ科）です。とくに球根部分に、心毒性の有毒成分「ツリピン」が集中しています。国内では犬が球根を大量に食べて嘔吐や吐血を起こした報告*がありますが、猫が食べても害があり、胃腸の炎症、唾液過多、痙攣、心臓の異常などを起こす恐れがあります。直接球根をかじらなくとも、生けてある水が危険となる可能性も。

　さらにチューリップには、「ツリパリン（AとB）」というアレルギー性物質が含まれ、人でも長期的に接触すると皮膚炎が起きます。ツリパリンも、とくに球根に多く含まれます。

＊「犬ツリピン中毒症の一例」（日本獣医生命科学大学獣医保健看護学科臨床部門／ペット栄養学会誌、2016）

## 猫の死亡事故も確認されています

　上記の成分が原因となるかは定かではありませんが、猫では腎臓の機能に影響が及ぶことがあります。2018年、イギリスでチューリップを口にし、急性腎障害で亡くなった猫がニュースとなりました。飼い主さんはチューリップの花瓶の隣に近づいて座った愛猫の写真をSNSに投稿。翌日、猫が足を引きずっていることに気づき獣医師のもとへ急ぐも、投稿から1日経たないうちに亡くなりました。飼い主さんは「ユリが猫に毒である」とは知っていたものの、チューリップの危険については知らなかったと後悔しています*。

　色彩が写真に映えますし、愛猫とのショットも多く見られますが、猫が触れたり、水を口にしないように遠ざける対策をしてください。

＊ THE SUN : KILLED BY TULIPS Mum posts 'cute' pic of beloved cat posing next to tulips – only for flowers to kill pet 24 hours later より

# サトイモ科の植物

Family Araceae

危険度

| 学名 | *Family Araceae* |
|---|---|
| 分類 | サトイモ科 |
| 毒がある部分 | すべて。ただし通常、シュウ酸カルシウムの結晶はとくに茎に集中（葉などに集中するものも） |

## スパティフィラム
（スパシフィラム）

Peace Lily

| 学名 | *Spathiphyllum* spp. & cvs. |
|---|---|
| 分類 | サトイモ科／ササウチワ属（スパティフィラム属） |

# フィロデンドロン

Philodendron

学名　*Philodendron* spp. & cvs.

分類　サトイモ科／フィロデンドロン属

＊シュウ酸カルシウムはとくに葉に集中

# ディフェンバキア

Dieffenbachia

学名　*Dieffenbachia* spp. & cvs.

分類　サトイモ科／シロカスリソウ属

　サトイモ科の植物は室内で鉢植えにする人気の観葉植物が多数あ
りますが、猫には危険なものばかりです。「シュウ酸カルシウム」の
結晶を含み、猫がかじると口の中の粘膜が刺激され、炎症が起き、焼
けるような痛みを伴うことも。ほかの症状としては、唾液過多、嚥
下障害など。重度では腎障害、中枢神経系の兆候などを起こします。
未確認の酵素も関係しているようです。とくにP62〜63の3つは、
猫が中毒を起こすリスクが高いと指摘されています＊。

＊ Gary D. Norsworthy(2010)：*The Feline patient,4th Edition* より

# ほかにもこんな<br>サトイモ科の<br>植物に注意！

## アグラオネマ
（リョクチク）

Chinese Evergreen

学名　*Aglaonema* spp. & cvs.

分類　サトイモ科／リョクチク属<br>　　　（アグラオネマ属）

## アロカシア
（クワズイモ）

Alocasia

学名　*Alocasia* spp.

分類　サトイモ科／クワズイモ属

## カラー

Calla Lily

学名　*Zantedeschia* spp.

分類　サトイモ科／オランダカイウ属<br>　　　（ザンテデスキア属）

＊シュウ酸カルシウムはとくに花に見える部分や<br>　葉に集中

# カラジウム
（カラジューム、ハイモ）

Caladium

| 学名 | *Caladium bicolor*<br>*(Caladium x hortulanum)* |
|---|---|
| 分類 | サトイモ科／ハイモ属<br>（カラジウム属） |

# シンゴニウム

Arrowhead Vine

| 学名 | *Syngonium podophyllum* |
|---|---|
| 分類 | サトイモ科／シンゴニウム属 |

# ポトス
（オウゴンカズラ、黄金葛）

Pothos

| 学名 | *Epipremnum Aureum* |
|---|---|
| 分類 | サトイモ科／ハブカズラ属<br>（エピプレムヌム属） |

# モンステラ
（ホウライショウ、デンシンラン、ペッサム）

Monstera

| 学名 | *Monstera deliciosa* |
|---|---|
| 分類 | サトイモ科／ホウライショウ属<br>（モンステラ属） |

# アイビー

（キヅタ、ヘデラ）

Ivy

危険度 😿 😿 😿 😺

| | |
|---|---|
| 学名 | *Hedera* spp. |
| 分類 | ウコギ科／キヅタ属 |
| 毒がある部分 | 葉、果実。<br>葉のほうが毒性が強い |

　園芸で人気のセイヨウキヅタ（*Hedera helix*）を筆頭に、学名のヘデラの名でも広く流通しています。「ヘデリン」というサポニン（配糖体の一種）や、「ファルカリノール」という成分が刺激となり、嘔吐・下痢、胃腸炎、皮膚炎、唾液過多、口の渇きなどを起こします。興奮や呼吸困難が起きる恐れもあります。

# シェフレラの仲間

（カポック、ブラッサイアなど）

Schefflera

 危険度 😼 😼 😼

| 学名 | Schefflera spp. |
|---|---|
| 分類 | ウコギ科／フカノキ属（シェフレラ属） |
| 毒がある部分 | 葉 |

　アイビーと同じウコギ科。日本ではカポックやヤドリフカノキと呼ばれる Schefflera arboricola が観葉植物として人気です。「シュウ酸カルシウム」の結晶や「ファルカリノール」を含み、口内や唇、舌に焼けるような激しい痛み、炎症を引き起こします。唾液過多や嘔吐、嚥下の困難も。

# キンポウゲ科の植物

Family Ranunculaceae

危険度

## ラナンキュラス

Garden Ranunculus

学名　*Ranunculus* spp.

分類　キンポウゲ科／キンポウゲ属
　　　（ラナンキュラス属）

Buttercup というキンポウゲの原種がとくに危険ですが、花びらが幾重にも重なった園芸品種のラナンキュラスも、すべて（とくに若い葉や茎、根）に刺激性の油性配糖体「プロトアネモニン」を含みます。口内に痛みや炎症を起こすほか、嘔吐・下痢、胃腸の炎症も。プロトアネモニンは開花の頃に濃度が高くなります。

## デルフィニウム
（オオヒエンソウ）

Delphinium

学名　*Delphinium* spp. & hybrids

分類　キンポウゲ科／オオヒエンソウ属
　　　（デルフィニウム属）

とくに種と若い苗にアルカロイドの「デルフィニン」を含み、神経の麻痺を引き起こします。ほかに便秘、疝痛、唾液過多、筋肉の震え、衰弱、痙攣など。呼吸器の麻痺、心不全が発生する恐れも。

　キンポウゲ科は毒性が強い植物が多く、猛毒で知られるトリカブトやフクジュソウもキンポウゲ科です。ここでは、飼い猫にも危険となる身近な植物を紹介します。ほか、キンポウゲ科のクレマチス、アネモネ、キツネノボタンなども食べさせないでください。

# ラークスパー
（チドリソウ、ヒエンソウ）

Larkspur

学名　*Consolida ajacis*
　　　*(Consolida ambigua)*

分類　キンポウゲ科／ヒエンソウ属
　　　（コンソリダ属）

地上に出ている部分と種にアルカロイドの「アジャシン」「アジャコニン」などを含み、デルフィニウムと同様の症状を引き起こします。

# クリスマスローズ
（ガーデン・ハイブリッド、レンテンローズ）

Christmas Rose

学名　*Helleborus niger* など

分類　キンポウゲ科／クリスマスローズ属
　　　（ヘレボルス属）

「プロトアネモニン」のほか、複数の強心配糖体が毒となります。全体が毒で、とくに危険なのは根。症状は、口腔内や腹部の疼痛、嘔吐・下痢など。循環器に影響を与え、末期症状では不整脈や血圧低下、心臓麻痺を起こすことも。

# ナス科の植物

Family Solanaceae

危険度

| 学名 | *Family Solanaceae* |
|---|---|
| 分類 | ナス科 |
| 毒がある部分 | すべて。とくに未熟な実、葉 |

## イヌホオズキ

Nightshade

学名　*Solanum nigrum*

分類　ナス科／ナス属

英名で「nightshade」を冠する植物で、毒成分は「ソラニン」です。日本では馴染みが薄いですが、silverleaf nightshade は極めて毒性が強く、体重の0.1％の摂取量でも症状が現れます。重度の胃腸障害、運動失調、衰弱など。

# ブルンフェルシア

Yesterday, Today, Tomorrow

学名　*Brunfelsia* spp.

分類　ナス科／バンマツリ属（ブルンフェルシア属）

ニオイバンマツリ（*Brunfelsia australis*）が人気。芳香が豊かでロマンチックな英名ですが、とくに実に「ブルンフェルサミジン」という神経毒が含まれます。目が揺れる眼振を起こしたり、震えから急速に発作を起こし、死に至ることも。

　抗コリンエステラーゼ作用を起こす成分によって、嘔吐・下痢、瞳孔の拡大、運動失調、衰弱などを起こします。とくにイヌホオズキとブルンフェルシアは、中毒リスクが高いと指摘されています[*]。

[*] Gary D. Norsworthy(2010)：*The Feline patient,4th Edition* より

## ほかにもこんなナス科の植物に注意！

### ジャガイモ

Potato

学名　*Solanum tuberosum*

分類　ナス科／ナス属

通常食べる部分は問題ありません。葉や新芽、緑色に変色した皮周辺に神経に作用する「ソラニン」などが含まれ、人でも中毒の報告多数。男爵はメイクイーンより有毒成分が少ないようです。

# ほかにもこんなナス科の植物に注意！

## トマト
Tomato

学名　*Solanum lycopersicum*

分類　ナス科／ナス属

ベランダ菜園でも人気ですが、葉や茎、熟していない実は、ソラニンと同じ糖化アルカロイドの「トマチン」が毒になり、消化器症状、抑うつ、瞳孔の拡大などが現れます。

## ホオズキ（鬼灯）
Chinese Lantern Plant

学名　*Physalis alkekengi* var. *franchetii*

分類　ナス科／ホオズキ属

まだ緑色の部分が残っている未熟果や葉に「ソラニン」や「アトロピン」を含みます。お盆の時期に仏壇に添えたり、吊るして飾る風習がありますが、猫が口にしないように。

## チョウセンアサガオ の仲間（ブルグマンシア、ダチュラ）
Angel's Trumpets, Datura

学名　*Brugmansia* spp. , *Datura* spp.

分類　ナス科／キダチチョウセンアサガオ属、チョウセンアサガオ属（ダチュラ属）

全体に毒があり、「ヒヨスチアミン」などが副交感神経を抑制、中枢神経を興奮させ、瞳孔の拡大、興奮、脈拍の亢進などを起こします。ダチュラは種に高濃度の毒。

# シクラメン

（カガリビバナ、豚の饅頭）

Cyclamen

危険度 🐱🐱🐱

| 学名 | *Cyclamen persicum* |
|------|------|
| 分類 | サクラソウ科／シクラメン属 |
| 毒がある部分 | すべて。とくに球根 |

　色彩豊かで鮮やかな花が魅力で、とくにクリスマスシーズンに広く出回る冬の風物詩。毒となるサポニンの「シクラミン」が集中しているのは球根です。大量にかじってしまうと、強烈な嘔吐や消化管の炎症、心拍数異常、痙攣を引き起こします。最悪、死亡する恐れがあります。

# スズラン

（鈴蘭）

Lily of the Valley

危険度 😿😿 😿😿 😿😿

| | |
|---|---|
| 学名 | *Convallaria majalis*(ドイツス ズラン)、*Convallaria keiskei* (日本原産のスズラン)など |
| 分類 | キジカクシ科／スズラン属 |
| 毒がある部分 | すべて。とくに花と根、根茎 |

　可愛らしい見た目に反して強力な毒。心臓病の治療でも使われる
「コンバラトキシン」などの強心配糖体を含みます。コンバラトキシ
ンは水に溶けるので、花瓶に生けた水でさえ口にすると危険。症状
は嘔吐・下痢（出血を伴うことも）、重度では心拍数の低下、不整脈
などを起こし、最悪、心不全によって死に至る危険もあります。

# ツツジの仲間

（ツツジ、アザレア、シャクナゲ、レンゲツツジ、サッキなど）

Azalea

危険度 😾 😾 😾

| 学名 | *Rhododendron* spp. & hybrids |
|---|---|
| 分類 | ツツジ科／ツツジ属 |
| 毒がある部分 | すべて。とくに花の蜜や葉 |

　すべての部分、とくに葉や花の蜜に、ツツジ科特有の毒成分「グラヤノトキシン」を含み、花の蜜は3mℓ/kg、葉は体重の0.2％を摂取すると有害ともいわれています。立て続けの嘔吐で誤嚥の危険があり、不整脈や痙攣、運動失調、抑うつなどを起こすことも。とくにレンゲツツジや、同じ科のアセビは毒草として有名です。

# ナンテン

（南天、ナルテン）

Nandina

危険度 🐱 🐱 🐱

| | |
|---|---|
| 学名 | *Nandina domestica* |
| 分類 | メギ科／ナンテン属 |
| 毒がある部分 | すべて。とくに果実、葉 |

　「難」を「転」じる縁起のよい植物としておせち料理や正月飾りで使われますが、とくに実には人の咳止め飴などに使われる「ドメスチン」を含みます。猫が口にすると、衰弱や運動障害、痙攣、呼吸不全などを起こす可能性があります。葉も「ナンジニン」を含み有毒。年末年始は動物病院も休みになるので食べさせないように。

# イヌサフラン

（コルチカム、オータム・クロッカス）

Autumn Crocus

危険度 ✕✕ ✕✕ ✕✕

| 学名 | _Colchicum autumnale_ |
|---|---|
| 分類 | イヌサフラン科／イヌサフラン属<br>（コルチカム属） |
| 毒がある部分 | すべて。とくに花、球根、種 |

　「コルヒチン」というアルカロイドが毒となり、細胞分裂が阻害されます。人では痛風の治療薬として使われますが、猫が口にした場合の症状は、初期は腹痛、口や喉に焼けるような痛み、血の混じった嘔吐・下痢などで、麻痺や痙攣、呼吸困難も。重症になると、多臓器障害が起きます。人でも誤食による死亡例があります。

# カランコエ

（リュウキュウベンケイ、琉球弁慶）

Kalanchoe

危険度 😿 😿 😿

| 学名 | *Kalanchoe* spp. |
|---|---|
| 分類 | ベンケイソウ科／リュウキュウベンケイ属（カランコエ属） |
| 毒がある部分 | すべて。とくに花 |

　園芸品種が、一年中店頭に並んでいます。強心配糖体「ブファジエノライド類」が、嘔吐・下痢、運動失調、震えを引き起こし、突然死するリスクもあります。とくにdevil's backboneとmexican hat plantの2種は、強い毒性が指摘されています[*]。

＊ Gary D. Norsworthy(2010)：*The Feline patient,4th Edition* より

# ジギタリス

（キツネノテブクロ、狐の手袋、フォックスグローブ）

Foxglove

 危険度

| 学名 | *Digitalis purpurea* |
|---|---|
| 分類 | オオバコ科／キツネノテブクロ属<br>（ジギタリス属） |
| 毒がある部分 | すべて。とくに花、果実、若葉 |

　ヨーロッパで毒草として有名。「ジギトキシン」などの強心配糖体が含まれ、猫が口にすると、嘔吐・下痢などののち徐脈や不整脈、心不全を起こします。人でも重症化して死亡することも。心不全の治療に使われるジギタリス製剤「ジゴキシン」は、ジギタリスではなく同属のケジギタリスに含まれています。

# ソテツ

（蘇鉄、サゴヤシ）

Sago Palm, Fern Palm

危険度 😿😿😿

| | |
|---|---|
| 学名 | *Cycas revoluta*など |
| 分類 | ソテツ科／ソテツ属 |
| 毒がある部分 | すべて。とくに種 |

　配糖体の「サイカシン」などが、肝臓と神経にダメージを与え、嘔吐、胃腸炎、黄疸、昏睡を引き起こします。致死的な肝臓障害を起こすこともあり、ソテツを摂取した動物の50〜75％で死亡事故が起きた報告＊も。毒性の強い種は1〜2粒の摂取で命取りに。

＊ APCC(2015)：Animal Poison Control Alert: Beware of Sago Palms

# キョウチクトウ

（夾竹桃）

Oleander

危険度 🐱 🐱 🐱

| 学名 | *Nerium oleander* |
|---|---|
| 分類 | キョウチクトウ科／キョウチクトウ属 |
| 毒がある部分 | すべて。とくに白い乳液、種。枯れ葉にも |

　排気ガスに強く公園の木や街路樹として広く植えられていますが、心毒性を持つ強心配糖体の「オレアンドリン」が含まれています。猫では嘔吐・下痢（血が混じることも）、不整脈など。人でも死亡例があり、成人の経口致死量は葉5〜15枚。猫は1枚でも危険でしょう。同じ科のニチニチソウやプルメリアも避けて。

# イチイ

（オンコ、アララギ）

Yew

危険度 🐱🐱🐱

| 学名 | *Taxus* spp. |
|---|---|
| 分類 | イチイ科／イチイ属 |
| 毒がある部分 | 果肉以外すべて |

　赤いゼリー状の種衣は甘みがあって人でも食用にされます。しかし、中の種には強力な毒があります。「タキシン」というアルカロイドが、心臓の機能に影響を及ぼし、嘔吐などの消化器症状のほか、筋力の低下や瞳孔の拡大を起こします。重症になると、呼吸困難、不整脈、突然死のリスクもあります。

# トウゴマ
（唐胡麻）

Castor Bean

危険度 😾 😾 😾

| | |
|---|---|
| 学名 | *Ricinus communis* |
| 分類 | トウダイグサ科／トウゴマ属 |
| 毒がある部分 | すべて。とくに種 |

種から採取される「ひまし油」は潤滑油や美容液、下剤等に古くから活用されていますが、中型犬でも種1粒の摂取で死亡する恐れがある強い毒を持ちます。糖タンパク質の「リシン」が細胞を破壊。猫ではチアノーゼや痙攣、運動失調のほか、腎障害が起きることも。兆候が現れるまで摂取してから12時間〜3日かかるようです。

2章

猫が食べると危ない植物

# アサガオ
（朝顔）

Morning Glory

| 学名 | *Ipomoea nil*（アサガオ）、*Ipomoea tricolor*（ソライロアサガオ）など |
| --- | --- |
| 分類 | ヒルガオ科／サツマイモ属 |

危険度 😿😿 😿😿

　幼児・学校教育の現場で育てることが多いですが、とくに種に下剤効果のある成分「ファルビチン」が集中し、食べると嘔吐などを起こします。大量摂取した場合、幻覚を起こす恐れも。

# アジサイ
（紫陽花）

Hydrangea

| 学名 | *Hydrangea macrophylla* など |
| --- | --- |
| 分類 | アジサイ科／アジサイ属（ハイドランジア属） |

危険度 😿😿 😿😿

　葉、根、蕾に毒が集中し、食べると嘔吐・下痢、胃腸炎を起こします。シアン化合物が原因とされてきましたが、現在見直されています。人でも料理に添えられた葉を食べて集団中毒が発生。

# アスパラガス

Asparagus Fern

学名　*Asparagus densiflorus* cv.
　　　*Sprengeri* など

分類　キジカクシ科／クサスギカズラ属

危険度

　観葉植物としてアスパラガス・スプレンゲリが人気。皮膚に何度も触れることでアレルギー性皮膚炎になったり、実を食べると嘔吐・下痢、腹痛を起こす恐れがあります。

# アマリリス

Amaryllis

学名　*Hippeastrum* spp.

分類　ヒガンバナ科／アマリリス属
　　　（ヒッペアストルム属）

危険度

　ヒガンバナやスイセンと同じく、「リコリン」などのアルカロイドが、球根に集中。嘔吐・下痢、食欲不振、腹痛、過呼吸、抑うつ、震えなどを引き起こします。

# アヤメの仲間
（アヤメ、ハナショウブ、アイリス、
カキツバタなども）
Iris

学名　*Iris* spp. & hybrids

分類　アヤメ科／アヤメ属

危険度 😿😿

　日本のアヤメ（*Iris sanguinea*）のほかアヤメ属の植物は、とくに根茎に高濃度に「イリゲニン」などのアルカロイドを含みます。口にすると、唾液過多、嘔吐・下痢、元気消失などを起こします。

# アロエ
Aloe

学名　*Aloe arborescens*（キダチアロエ）、
　　　*Aloe vera*（アロエベラ）

分類　ススキノキ科／アロエ属

危険度 😿😿

　下剤成分を含み、嘔吐・下痢、元気消失などを起こします。食用・軟膏代わりに使われますが、アメリカの動物中毒管理センターは、外側・内側部分ともに猫への使用をすすめていません。

# インドゴムノキの仲間
（ベンジャミン、インドゴムノキなど）

Figs

| 学名 | *Ficus benjamina*（ベンジャミン）、<br>*Ficus elastica*（インドゴムノキ）など |
|---|---|
| 分類 | クワ科／イチジク属（フィクス属） |

危険度 😾😾

　イチジクの仲間で「ゴムの木」として観葉植物で人気。乳液に「フィシン」「フィカシン」というタンパク質分解酵素や光毒性の「フロクマリン類」を含み、胃腸や皮膚の炎症を引き起こすことがあります。

# オシロイバナ
（白粉花、フォー・オクロック）

Four o'clock

| 学名 | *Mirabilis jalapa* |
|---|---|
| 分類 | オシロイバナ科／オシロイバナ属<br>（ミラビリス属） |

危険度 😾😾

　植物の名の由来にもなっている白い粉が入った黒い果実（種）や根に「トリゴネリン」というアルカロイドを含みます。口にすると嘔吐・下痢、神経系の症状を起こすことがあります。

## カーネーション
（オランダセキチク、ジャコウナデシコ）
Carnation

学名　*Dianthus caryophyllus*

分類　ナデシコ科／ナデシコ属
　　　（ダイアンサス属）

危険度 🐱🐱

おもに葉に毒があるようですが、成分は不明。軽度の消化器症状や皮膚炎を起こします。母の日の花として贈る場合、猫に食べさせないように伝えましょう。→代わりに贈る花の例はP96へ

## 金のなる木
（花月、フチベニベンケイ、緑紅弁慶）
Jade Plant

学名　*Crassula ovata*
　　　*(Crassula portulacea)*

分類　ベンケイソウ科／クラッスラ属

危険度 🐱🐱

症状は嘔吐・下痢、軽度の胃腸炎がほとんど。一部、元気消失や運動失調、震え、心拍数の上昇なども。猫は犬よりもこの植物に敏感なようですが、重篤な症状を示すのはまれなようです。

# キキョウ

（桔梗、アリノヒフキ）

Balloon Flower

| 学名 | *Platycodon grandiflorus* |
|---|---|
| 分類 | キキョウ科／キキョウ属 |

危険度

　東アジアを中心に広く分布する多年草。人では根の「桔梗根」をナムルや生薬に活用します。すべての部分にサポニンを含み、猫では嘔吐・下痢、溶血を起こす恐れがあります。

# キク科の植物

（デージー、マーガレットなど）

Family Asteraceae

| 学名 | *Family Asteraceae (Chrysanthemum spp. , Argyranthemum*など) |
|---|---|
| 分類 | キク科 |

危険度

　「アラントラクトン」という皮膚炎を起こすことがある成分を含み、洋菊ではさまざまな種類で猫への毒性が指摘されています。アラントラクトンはキク科共通なので、日本の菊も避けてください。

# サンセベリア
（チトセラン、千歳蘭、トラノオ）

Mother-in-Law's Tongue

学名　*Sansevieria trifasciata*

分類　キジカクシ科／チトセラン属
　　　（サンセベリア属）

危険度

　室内の空気を浄化する効果が望めるとして、人気になった観葉植物です。サポニンを含み、猫が口にすると、嘔吐・下痢を引き起こす恐れがあります。

# スイートピー
（ジャコウレンリソウ、ジャコウエンドウ）

Sweet Pea

学名　*Lathyrus* spp.

分類　マメ科／レンリソウ属
　　　（ラティルス属）

危険度

　フジと同じマメ科で毒性に注意したい植物。すべての部分、とくに果実と種に「アミノプロピオニトリル」を含み、元気消失、衰弱、震え、痙攣などを起こします。

# スイセン
（水仙）

Narcissus

学名　*Narcissus* spp. & cvs.

分類　ヒガンバナ科／スイセン属
　　　（ナルキッスス属）

危険度 😾😾 😾😾

　すべての部分、とくに球根にアルカロイドの「リコリン」を含み、嘔吐・下痢、大量摂取で痙攣や不整脈を起こします。人も葉をニラ、球根を玉ねぎと間違えて食べて食中毒を起こします。

# セイヨウヒイラギ
（西洋柊、クリスマス・ホーリー）

English Holly

学名　*Ilex aquifolium*

分類　モチノキ科／モチノキ属

危険度 😾😾 😾😾

　モチノキ（*Ilex*）属の植物に毒があり、観賞用のセイヨウヒイラギもその一つ。葉や実にサポニンほか毒性を持つ化合物が含まれ、唾液過多や嘔吐・下痢、食欲不振などを引き起こします。

# ゼラニウム
（ゼラニューム）

Geranium

| 学名 | *Pelargonium* spp. |
|---|---|
| 分類 | フウロソウ科／テンジクアオイ属<br>（ペラルゴニウム属） |

危険度 😿😿

　カラフルな花で一年中目を楽しませてくれますが、嘔吐や食欲不振、抑うつ、皮膚炎などを起こす恐れがあります。他のペラルゴニウム属も同様に注意を。

# ドラセナ

Dracaena

| 学名 | *Dracaena* spp. |
|---|---|
| 分類 | キジカクシ科／ドラセナ属 |

危険度 😿😿

　ドラセナは約50種が観葉植物として人気。全体にサポニンを含み、猫が口にすると瞳孔の拡大を起こします。ほかに嘔吐（血を伴うことがある）、抑うつ、食欲不振、唾液過多なども。

## ヒヤシンス
（ヒアシンス、風信子）

Hyacinth

学名　*Hyacinthus orientalis*

分類　キジカクシ科／ヒヤシンス属

危険度 😿😿

　すべての部分が有毒で、とくに球根にスイセンと同様にアルカロイドの「リコリン」が含まれています。激しい嘔吐や下痢（ときに血が混じる）、抑うつ、震えを起こします。

## フジ
（藤）

Wisteria

学名　*Wisteria floribunda*

分類　マメ科／フジ属

危険度 😿😿

　日本では一般的にはノダフジを指します。全体、とくに果実と種に「ウィスタリン」という配糖体があり、嘔吐（ときに血が混じる）・下痢、抑うつを引き起こすことがあります。

# ポインセチア
（ショウジョウボク、猩々木）

Poinsettia

学名　*Euphorbia pulcherrima*

分類　トウダイグサ科／トウダイグサ属
　　　（ユーフォルビア属）

危険度 😺😺

クリスマス時期に飾られる植物。食べると茎や葉の乳液が、口と胃に刺激を与えます。ときに嘔吐。「猫に毒」と広く知られる一方、一般的にその毒性が過大評価されているという指摘*も。

* Petra A. Volmer(APCC,2002) : *How dangerous are winter and spring holiday plants to pets?*

# ユーカリ

Eucalyptus

学名　*Eucalyptus* spp.

分類　フトモモ科／ユーカリノキ属

 危険度 😺😺

観葉植物のほかアロマでも人気ですが、エッセンシャルオイルの成分である「ユーカリプトール」が毒となります。症状としては、嘔吐・下痢、抑うつ、衰弱などを起こします。

# ユッカ

Yucca

学名　*Yucca* spp.

分類　キジカクシ科／イトラン属
　　　（ユッカ属）

危険度

　観葉植物として、「青年の木」とも呼ばれるユッカ・エレファンティペス（*Yucca elephantipes*）などが人気。猫が食べると、嘔吐を引き起こすことがあります。

ここには取り上げていない植物でも、人が口にして中毒を起こすような植物が多数あります（ドクゼリ、ハシリドコロ、ドクウツギ、ケシなど）。猫では中毒の事故として報告がないとしても、「人に毒となる植物をより体の小さい猫が摂取した場合に無事では済まない」と考えて、口にしないようにしてあげてください。

日本国内で起きた植物性の自然毒（キノコ毒、高等植物毒）による人の事故の報告は、厚生労働省のサイト「自然毒のリスクプロファイル」で確認できます。

危険な植物はわかった。じゃあ…

# 猫に「安全な」植物ってあるの?

　室内で鑑賞する植物の中毒に関する情報や報告はまだ新しいものが多く、現在は毒性がわかっていない植物でも、今後、新たに中毒事故が起こって初めてわかるという可能性があります。ですから理想を突き詰めれば、「猫のいる部屋には観葉植物や切り花を持ち込まない」というのが愛猫を守る最善策ではあります。

　しかしながら、亡くなった愛猫へのお供えに花を飾ったり、送別会やお祝いでお花をいただいたりなど、一切持ち込まないというのはなかなか難しいこともあるでしょう。参考までに、アメリカの動物中毒管理センターのコラムでは、ペットがいる家庭で「母の日に送る花束」の例として、以下の植物が紹介されています。

- バラ（*Rosa* sp.）
- ガーベラ（*Gebera jamesonii*）
- ヒマワリ（*Helianthus* sp.）
- ラン（*Cymbidium, Dendrobium, Oncidium, Phalaenopsis* sp.）
- キンギョソウ（*Antirrhinum majus*）
- フリージア（*Freesia corymbosa*）
- リモニウム（*Limonium* sp.）、スターチス（*Limonium leptostachyum*）
- マダガスカルジャスミン（*Stephanotis* sp.）
- ストック（*Matthiola incana*）
- ワックスフラワー（*Etlingera cevuga*）
- トルコギキョウ（*Eustoma grandiflora*）

＊ APCC (2020) : *Mother's Day Bouquets: What's Safe for Pets?* より引用

これらは「安全」というよりも、軽い胃腸の不調が起きることがある「比較的影響が出にくい花」のようです。毒性の心配が少なくても、たとえばバラならトゲが刺さる心配があります。猫が興味を持つようなら、近づかせないように対策したほうがいいでしょう。

## 猫の"嗜好品"となっている植物は？

猫が好みやすい猫草、またたび、キャットニップも、与え方や猫の体質によっては不調をきたすことがあります。

### ●猫草

えん麦や小麦、大麦など、猫が好むイネ科の穀物の若葉。猫が好むなら与えても問題ありませんが、一気に食べると消化不良を起こすことも。むさぼる猫には、少量をカットして与えるなど調整を。

### ●またたび（*Actinidia polygama*）

キャットニップに反応しない猫の75％がまたたびには反応した報告があります。強い興奮作用を示し、攻撃行動や呼吸困難につながることがあるので、与えるならごく少量の粉を嗅がせるところから。乾燥させた実は丸飲みすると胃で膨らみ、最悪、腸閉塞を起こします。スティックタイプを食べてしまうのも危険です。

### ●キャットニップ（*Nepeta cataria*）

穏やかになる猫もいれば興奮する猫も。嘔吐・下痢を起こすこともあります。与え方の例として米国獣医師会の猫病院の獣医師は、「2〜3週間に一度の特別なおやつ」に留めるようにすすめています。

* 以上、Sebastiaan Bol 他 (2017) : *Responsiveness of cats to silver vine, Tatarian honeysuckle, valerian and catnip*, Jon Patch (2012) : *AVMA's latest podcast addresses cats' love for Nepeta cataria* 参考

# 3 猫が食べると危ない 家の中の物 | 誤食編

昔ながらの家と外とを自由に行き来していた時代から
完全室内飼いへと移行している現在。
飼い猫が誤食しやすい物といえば
人が家庭内で使う身近な製品となりました。
暮らしが便利になる中で新たに浸透した新素材の物など
人の暮らしの変化に合わせて
猫が誤食してしまう物も変わってきています。

## 食べさせないための基本の対策

- しまえる物はしまう。猫が簡単に開けられない、蓋やロック付きの収納にしまうと安心。

- 室内に猫が誤食しやすいものが落ちていないか、しゃがんで「猫の目線」で確認し、異物に興味を持つ機会をできるだけ減らす。

- 異物を「執拗に噛む・なめる」「むしゃむしゃ食べる」ような場合は、獣医師や行動診療の専門家に相談する。

危険度のについて

腸閉塞や穿孔（臓器に穴が開く）などの重篤な症状を起こしやすい異物を中心に、最も危険な😿😿😿としました。事故の報告が多い、猫が執着しやすい、猫が意図せず口にしやすい等の条件も踏まえながら総合的に判定しています。

# ジョイントマット

Joint Mat

危険度 😿😿😿

誤食が多発！

弾力があって

閉塞を起こしやすい

　正方形のパネルの縁をつないで組み合わせ、床に敷いて使うジョイントマット。室内でのケガを防止したり、跳びはねたときの音を吸収してくれるので、小さいお子さんがいる家庭などで広く使われています。ホームセンターやインテリアショップ等で広く販売されるようになりましたが、猫の誤食事故が相次いで報告されています。「弊院でも猫がかじって飲み込んでしまい、開腹手術に至るケースがとても増えています」（服部先生）。

　危険性が高い理由は、その弾力性です。ポリエチレンや、コルクとEVA樹脂を組み合わせた素材などで、飲み込んだものが食道や腸に隙間なくすっぽりとはまって、猫が吐くことも排泄することもできず、閉塞を起こします。とくにパネル1枚1枚の凹凸部分は猫が噛みやすい形状。敷いたときに凹凸が側面に剥き出しにならないようにしてください。それでも猫がマットに興味を持ったり、マットに噛んだ形跡があるなら使わないほうがいいでしょう。人の安全のために必要な場合もありますが、愛猫が興味を持ちにくい敷物（例：タイルカーペット、撥水加工のマットなど）に変えるか、上からカバーで覆うなど対策をしましょう。

腸に詰まり、開腹手術により摘出されたジョイントマットの欠片。症状として嘔吐や元気がない様子が見られたそうです。

# 猫用おもちゃ

Cat Toys

危険度 😿😿😿

ネズミのおもちゃの
一気喰いは超定番

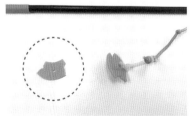

　好奇心旺盛な若い猫でとりわけ誤食しやすいのが、猫用おもちゃです。人工の素材でも注意は必要ですが、とくにウサギなどの獣毛、鳥の羽などでできたものは無我夢中になりやすく、小さいネズミのおもちゃは誤食の超定番。野生の猫が小動物を食べるが如く、一気に飲み込んでしまい、腸閉塞を起こすことがあります。

　小さく噛みちぎっていればウンチとともに排泄されやすいですが、量や素材にもよります。おもちゃの持ち手のプラスチックごと食べて腸に詰まらせてしまった猫もいますし、紐は腸に留まると組織を壊死させてしまう恐れがあり危険です。→ほかの紐についてはP106

　「飼い主さんが遊んであげている間に食べていないか」「遊んだあとに素材が減っていないか」を観察し、食べた形跡があるなら種類を変えましょう。猫が積極的に口にする物だからこそ、遊んでいない間はしまっておくほうが安全です。

猫用のおもちゃ。左下のシリコーンの欠片が、誤食した部分です。胃に留まっていたので、内視鏡で摘出しました。

# ボタン・コイン型電池

Button & Coin Cell Batteries

危険度 🐱 🐱 🐱

## 胃壁を溶かして
## 重症化してしまう

　電動の猫用おもちゃ、時計、タイマー、LEDライトなど身近な製品に使われているボタン電池やコイン電池。人の子供が飲み込んでしまう事故が多発し、命に関わるケースもあることから、消費者庁や日本中毒情報センターなどが注意を促しています。猫も誤って口にすると大変危険です。放電の影響により、短時間でも食道や胃壁などの電池の留まった箇所の組織が溶かされて重症化します。誤食に気がついたら「迷わず直ちに」受診してください。

---

### 誤食させない＆重症化を防ぐ対策

・電池が簡単にはずれる器具を床に置かない。
・電池ボックスの蓋やネジはしっかり留める。
・電池交換は、猫がいないところで行う。
・使用済みの電池は、＋極と－極にテープを貼る。

---

開始から5分

アルカリ
ボタン電池

酸化銀
ボタン電池

マンガン
リチウム電池

リチウム電池

開始から1時間

開始から10分

### ボタン電池の放電の影響を
### ハムに挟んで確認

異なる4種類のボタン・コイン型電池をハムで挟み、放電の影響を検証。開始5分でハムが黒ずみ始め、とくにリチウム電池は開始10分で泡が出る強い化学反応がありました（写真上）。すべての電池で、＋－いずれかの面で焼け焦げたような変色が起きています。

# 紐状の物

String-Shaped Objects

危険度 ❌❌ ❌❌ ❌❌

犬猫が最も誤食しやすく
致死率も高い

　細長い紐状の物は、腸で引っかかると組織を壊死させてしまい、命を落とす危険があります。紐の誤食は犬猫で最も多いことを示すアンケート調査*もあり、獣医師172人中27人が、診察した犬猫の死亡経験があると答えています。

　紐の形状や動きは、猫の狩猟本能が掻き立てられます。愛猫が興味を示す紐状の物は、しまっておきましょう。ソファやキャットタワーなどのほつれも放置しないように。

＊アニコムホールディングスが獣医師向けに実施した、2011年のアンケート。暫定致死率18％〈死亡経験のある異物（27）／経験のある異物（150）×100〉

---

### とくに注意したい紐類の例

・パーカーやスウェットの紐：「飼い主さんにかまってもらいながらじゃれて誤食しやすい」「太い」「先端の丸みが腸に引っかかりやすい」と、危険な要素が多い。

・ビニール紐、包装用のリボン：ちぎれにくく長いままの状態で腸に達し、腸が引きつれる。

・ハムを括るタコ糸：味付きで一気に食べてしまいやすい。

---

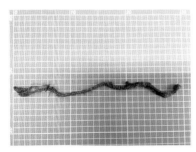

猫が飲み込んでしまったパーカーの紐。腸に詰まっていて、開腹手術で摘出しました。

# 針、がびょう

Needles, Thumbtack

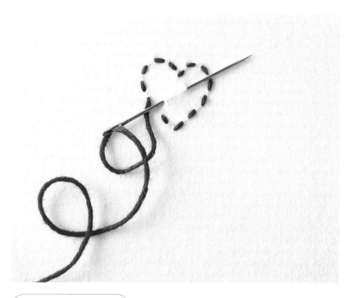

危険度 ✕✕ ✕✕ ✕✕

## 裁縫針は、糸が舌に絡まって
## そのままパクリ

　針やがびょうは、口にすっぽりおさまりやすいサイズであり、しかも「消化されない」「尖った部分が口の中や消化管、胃腸を傷付ける」と、複数のリスクがあります。使っていない間は裁縫箱・道具箱等にしまい、猫が勝手に遊べないようにしましょう。

　とくに以下の針は猫が興味を持ちやすいので、近づかせないようにしてください。

> **とくに注意したい針の例**
>
> ・裁縫用の針：「通した糸に猫が興味を示す」→「口にくわえたときに舌のザラザラに引っかかる」→「針で口の中を刺したり、針ごと飲み込んでしまう」ことがある。新型コロナウイルスの感染拡大で、手作りの布マスクを作る際に、猫が縫い針を飲み込んでしまった報告も。
> ・釣り針：猫が魚のニオイに引き寄せられてなめるうちに、舌や口の中で刺さってしまう。

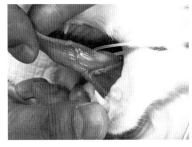

裁縫用の糸を誤食し、糸が舌に食い込んでしまった猫。針は飲み込みませんでしたが、全身麻酔のうえで取り除きました（針を誤食した猫の写真はP18）。

# 丸くて小さい物

（鈴・ビー玉・ボタン・お金など）

Round & Small Objects

危険度

## 直径1cm以上の「丸」は
## 腸閉塞を起こしやすい

　人では3才児の最大口径が約39mm、喉の奥までは51mmあり、そのサイズにおさまる異物は誤飲の危険があります＊。一方で猫の場合、喉に物を詰まらせる窒息は多くはありませんが、腸の直径から考えると、目安として直径1cm以上の球体の物を飲み込むと、腸閉塞を起こすリスクがあります。

　首輪やおもちゃの鈴の誤食は、その代表例です。首輪の鈴は、特別な目的や事情（例：視力が落ちた高齢者が愛猫の居場所がわからなくならないようにするため）がない限りは必要ありません。子猫から付けていれば音に慣れることもあるかもしれませんが、聴覚の優れた猫にとって常にそばで音が鳴る状況は、性格によっては強いストレスとなる恐れがあります。使用前に取ったほうが安心です。

　その他、ビー玉などの球体のものだけでなく、ボタンやお金・コイン、おはじきなど円形のものにも注意を。人の子供で起きた窒息事故の報告を見聞きしたら、「同じようなものが猫にとっても危険になりうる」と考えておくといいでしょう。

＊母子手帳「誤飲チェッカー」参考

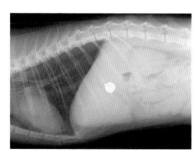

猫の胃の中で留まっている首輪の
鈴。開腹手術で摘出しました。

# 食品を刺す物

<small>（つまようじ・竹串など）</small>

Food Sticks

危険度  〜

# 食品ごと食べて、先端が
# 消化器官を傷付ける恐れも

　ハムや前菜を刺したつまようじ、焼き鳥やおでんなどを刺した竹串は、食への執着が強い猫ほど、残っている食品の味を目当てに口にする恐れがあります。食品が刺さったままの状態で一気に食べてしまうケースもあるので目を離さないようにしましょう。

　先端が尖っているため、口の中に刺さって粘膜を傷付けたり、食道や胃腸を痛める恐れがあります。ただし、「よく消化器官に穴を開けるといわれますが、実際は刺さったままのことはほとんどないです」（服部先生）とのこと。とはいえ、細かく噛み砕かれず長いままだったり、プラスチック製のものは排泄されずに残ってしまう可能性があり、開腹手術が必要なこともあります。

　蓋付きのゴミ箱に捨てるようにする、キッチンのシンクの三角コーナーに置きっぱなしにしないなど、対策しましょう（下の写真も参考にしてください）。

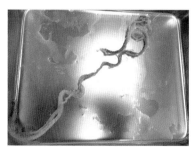

こちらは猫の腸から開腹手術で摘出した、三角コーナーにかける網。食品を残しておくと、網ごと食べてしまうことがあります。

# 布製品

Fabric Products

危険度 🐱🐱 〜

大きいものは 🐱🐱🐱

## 人が使用済みのものは
## ニオイから興味を持ちやすい

　猫がセーターなどのウール製品をかじって食べてしまうことがあります。この問題行動は食べ物以外を積極的に口にする異嗜症の一種で「ウールサッキング」と呼ばれ、生後すぐに母猫と別れて離乳が早かった猫やシャム系の猫に多いともいわれます。しかし、はっきりとした原因はよくわかっていません。

　ウール以外にも布製品の誤食は猫では多く、とくに好まれやすいのが飼い主さんの皮脂やニオイが付いた衣類や布製品。脱いだ靴下、使用済みタオル、バスマットなどは要注意です。「キャミソールの肩紐やメガネ拭きを丸ごと食べてしまい、手術で取り出したケースもあります」（服部先生）。

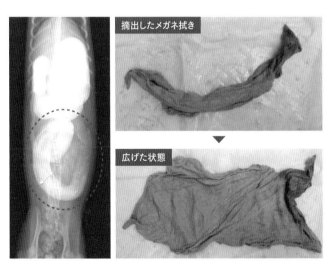

摘出したメガネ拭き

広げた状態

猫が丸ごと飲み込んでしまい、腸に留まっていたメガネ拭き。開腹手術で摘出。

# マスク

Mask

危険度 😿😿😿

感染予防の対策で身近に。
誤食で腸閉塞になることも

　新型コロナウイルスの感染拡大の影響を受けて、飼い主さんが身に着ける物として定番のものとなったマスク。犬猫による誤食の報告が、相次いでいます。「国内での感染が始まってから半年で2回、マスクが腸に詰まった猫の開腹手術がありました。うち1件は、耳にかけるゴム紐が塊になって腸に詰まっていました」（服部先生）。

　口元に密着していることから飼い主さんの唾液や皮膚のニオイが付きやすく、猫が気になりやすいようです。耳にかける紐の部分に興味を示して、一気に食べてしまう可能性もあります。また、使い捨ての不織布のマスクの場合、舌のザラザラに引っかかり猫が吐くこともできず飲み込んでしまいます。興味を示す猫がいる場合、置きっぱなしにしないでください。

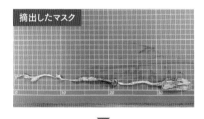

摘出したマスク

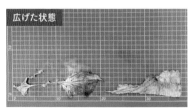

広げた状態

子供用の不織布のマスクを丸ごと食べてしまい、腸閉塞に。開腹手術で摘出しました。全体が細く紐状になり、ゴム紐には結び目ができていました。

# ヘアゴム、輪ゴム

Hair Tie, Rubber Bands

## 髪を結うヘアゴム
## 大きい輪ゴムが危ない

危険度 🐱🐱 〜

ヘアゴムと
大きい輪ゴムは 🐱🐱🐱

　猫が誤食しやすい日用品の代表、輪ゴム。事務仕事やキッチンで
よく使う、直径4cmほどの一般的なサイズのものであれば、ウンチ
に混じって排泄されることも多いです。

---

### とくに注意したいゴム

・大きい輪ゴム：業務用に使われる丈夫な輪ゴムは、消化器官
を進むうちに徐々に丸まって詰まる可能性があります。

・ヘアゴム：飼い主さんの髪の毛のニオイを好んでか、積極的
にかじることも。「ゴム紐に長い髪の毛が絡まって腸に引っか
かっていたのを、開腹手術で摘出しました」（服部先生）。

# 食品パッケージ

Food Packaging

## 定番は
## ソーセージのフィルム

危険度

　ハムやベーコンの包装フィルム、肉や魚の食品トレー、煮干しや猫用おやつなど食品の袋は、付着した味を好んで誤食しがちです。とくに中身が入った状態では一気に大量に食べてしまうことが多く、胃を刺激して嘔吐などの症状をきたしたり、腸で詰まったりする可能性があります。猫が開けられない扉の中にしまっておき、ゴミは蓋付きのゴミ箱へ捨てましょう。

　「診察でとくに多いのは、ソーセージのフィルム」（服部先生）とのこと。伸縮性がある素材や横に裂けにくい素材では噛みちぎりにくいので、細長い状態のものを丸飲みしてしまい、腸に引っかかってしまうようです。先端を金属で留めてあるタイプはさらに危険です。

# ビニール袋

Plastic Bag

## 執拗になめたり
## かじるタイプの猫は要注意

危険度

　ビニール袋を動かしたときのカサカサという音は、猫の好奇心を刺激します。ネズミなどの小動物が動く様子を連想させるのか、飛びかかったり、巣穴の獲物を捕まえるように中に入ったり、遊んでいるうちにかじってしまうことがあります。

　そうした狩猟本能とは別に、執拗になめたり、積極的にかじろうとする猫も。この行動には胃腸を刺激して毛玉を吐き出そうとしているという説もありますが、はっきりとした理由は不明です。切れ端程度の量ならウンチに混じって出てきますが、量が多い場合や、硬めの丈夫なビニール袋では排泄されにくく、嘔吐・下痢の原因となったり、腸に詰まったりするリスクがあります。

# シリコーン・プラスチック製品

Silicone & Plastic Products

## シリコーンは一気に
## 食べてしまうことも

危険度

　スマホケースにラップ代わりのシート、折り畳みできる調理器具やコップなど……最近では、軽くて丈夫なシリコーンが身近な製品によく使われるようになってきました。この素材は柔らかく歯で噛みちぎれるので、猫が一気に食べてしまうこともあります。イヤホンの先端のイヤーピースは、丸ごと飲み込んでしまう猫も。

　また硬いプラスチック類も、猫によっては積極的にかじってしまいます。シリコーンもプラスチックも排泄されにくく、腸に蓄積しやすい素材。猫用食器にプラスチック製もありますが、傷に細菌が繁殖しやすいので衛生面のうえでは陶器がよいでしょう（ステンレス製は冬に器がキンキンに冷えやすい点に注意）。

# 充電ケーブル、イヤホン

Charging Cable, Earphones

## 細くて柔らかく
## 銅線まで噛み切りやすい

危険度 🐱🐱 〜

充電中は 🐱🐱 🐱🐱

　スマートフォンやタブレット、充電器、Bluetoothのイヤホンやキーボードといった充電式の電子機器の普及によって、「充電ケーブルを誤食した猫の受診が増えている」（服部先生）ようです。一般的な通常の電気コードよりも細くて柔らかいので、猫が銅線のカバー部分だけでなく、中の銅線まで噛み切って断線させてしまうこともあります。食感が近いものとして、イヤホンのコードも要注意です。

　スマホの充電ケーブルでも、銅線を直接噛めば感電のリスクがあります。保護カバーを巻いて直接噛ませない、銅線が露出したら取り換えるなど対策をしましょう。→感電事故はP155

# 紙類

Paper Products

## 噛みちぎりにくい紙なら
## 腸閉塞を起こすことも

危険度 🐱× ×〜

ウエット
ティッシュは 🐱× × 🐱× ×

　箱から取り出したティッシュや、飼い主さんのノートや本、段ボールなどの「紙」の製品は、食べた量が多くなければ排泄されやすいので、それほど心配はいりません。

　ただし、ウエットティッシュは噛みちぎりにくく、猫の舌のザラザラで絡めとってしまいやすいので、大きいまま飲み込んで、腸閉塞を起こしてしまうことがあります。

　とくに、感染症対策のためアルコール成分を含むタイプを使う機会も増えています。中毒症状を起こす心配もあるので、猫が口にしないようにしましょう。

# トイレ砂

Cat Sand

フードのように
むしゃむしゃ
食べる猫も

危険度

　粒のサイズや食感がフードに近いためか、トイレ砂を好んで食べようとする猫もいます。食べた量などによっては腸に蓄積していきますので、食べるようなら種類を変えましょう。

　「ストレスや栄養不足、寄生虫の感染、悪性腫瘍などにも、こうした異嗜が関わっているように思います」（服部先生）。

---

### 誤食に注意したいトイレ砂

・おから系：食品のニオイに誘われるのか、積極的に食べる猫が多いです。「頻繁に食べていた猫の膀胱から、ケイ素が含まれた結石が摘出されました。ただし、この結果からおからによって結石ができたとまでは断定できません」（服部先生）。

・紙系：水分を吸うので、胃腸で膨らんで詰まりやすいです。

# 長毛種の猫の毛
## Long-Haired Cat's Hair

ブラッシングを
怠ると
ときに腸閉塞に

危険度 **

　猫の舌のザラザラ（糸状乳頭）は体表をきれいにするブラシの役割がありますが、特殊な形状から、猫は自分や仲よしの同居猫の抜け毛を飲み込みやすい傾向があります。長毛種の場合、飲み込む毛の量が多いと胃腸に蓄積し、毛玉になって吐き出せなくなったり、腸閉塞を起こすことがあります。短毛種では基本的には詰まりませんが、あるとしたら胃や腸に問題がある場合です。

　最優先の予防は、こまめなブラッシングで飲み込む毛を減らすこと。詰まらせやすい猫には、獣医師の指導のもと消化器ケアの療法食を与えたり、毛玉を溜めにくくするサプリメントを与える方法もあります。

胃に留まっていた長毛種の毛

# 4 猫が食べると危ない 家の中の物｜中毒編

人の健康のための医薬品やサプリメントも
体が小さい猫からすれば少量でも「毒」になります。
ほかにも私たちが暮らす家の中には、
化学物質が使われている製品が多数あります。
感染症の流行によって頻繁に使うようになった消毒液や
害虫対策の用品など……。
命に関わるほどの中毒症状を起こす物もあるので
適切に管理してください。

## 食べさせないための基本の対策

- 化学物質を含む製品はあらかじめ成分を調べ、生活必需
  品を除き中毒リスクが高いものは持ち込まないのが理想。

- しまえる物はしまう。中毒の恐れのある液体は猫になめさ
  せず、足の裏や体への付着も避ける。

- 置くタイプの殺鼠剤、殺虫剤等は、ドア付きの扉の内側
  など猫が絶対に触ることができない場所に。

危険度の  について

命に関わるほどの中毒症状が出やすいものを中心に、最も危険な    とし
ました。事故の報告が多い、猫が執着しやすい等の条件も踏まえながら総合的に
判定しています。

# 古い保冷剤、不凍液

（エチレングリコール）

Old Refrigerant, Antifreeze

危険度 ××××××

## エチレングリコール中毒は
## 猫の死亡リスクが高い

　「エチレングリコール」は、車のエンジン用の不凍液に主成分とし
て使われている原料。犬猫の中毒による暫定致死率が最も高かった
調査結果[*]があります。この原料は肝臓中の酵素の酸化作用によりシ
ュウ酸を生じ、血液中のカルシウムと結合して「シュウ酸カルシウ
ム」を形成。急性腎障害を引き起こします。猫は犬より影響を受け
やすく、症状の進行も早いです。致死量は体重1kgあたり1.5mℓ（別
の研究では1mℓ/kg）[**]で、ごく少量でも命に関わります。

[*] アニコムホールディングスが獣医師向けに実施した、2011年のアンケート。暫定致死率58%〈死亡経験の
　ある異物（28）／経験のある異物（48）×100〉
[**] Nicola Bates（Feline Focus 1（11）/ISFM）: *Ethylene glycol poisoning*参考

## 最近の保冷剤は、安全性が高まっている

　エチレングリコールは、かつては柔らかいタイプの保冷剤にも含
まれていましたが、最近は安全のため使用されない傾向にあります。
国内で製造を行う7メーカー（アイスジャパン、エイト、トライ・カ
ンパニー、三重化学工業、博洋、九州アプトン、鳥繁産業）が加盟
する「日本保冷剤工業会（JCMA）」に尋ねると、加盟メーカーでは
使用されていないそうです。
　「当会の認定マークの印刷された保冷剤は、当会の自主規制規格に
基づいて製造された保冷剤であり、安全・安心の証です」「内容物の
主成分であるゲル状物質は、98％程度の水と1％程度の吸水性樹脂
でできています。『吸水性樹脂』とは、紙おむつや生理用ナプキンに
使用される白い粉状のもので、誤飲等により人体内に入っても、吸
収されずに体外へ排出されます。猫でもよほどの大量摂取でなけれ
ば、安全上問題ないでしょう」（日本保冷剤工業会事務局担当者）。

次ページへ続く

## ただし、すべての製品が安全とは限らない

　しかし、国内製でも具体的な原料名が記載されていない製品もあり、「国内に流通している製品すべてにおいて使われていない」かどうかはわかりません。飼い主さんが冷凍庫に長年入れっぱなしで繰り返し使い続けているものも含めて、原料不明の製品は避けたほうが安心です。「私が経験したのは、10年近く前ですが、海外からカニを購入したときに付いていた保冷剤の表記を訳してみたら、エチレングリコールが使われていました」（服部先生）。

## プロピレングリコールも猫が口にしないように

　ちなみに柔らかい保冷枕には、「プロピレングリコール」を使っている製品があります。プロピレングリコールは人では食品添加物としても使用されている原料で、エチレングリコールのような強い毒性はありません。しかし、ペットフード安全法に基づく省令の基準では猫用フードへの使用が禁止されていて（犬は禁止されていない）、猫が口にした場合、血球中のハインツ小体の増加や赤血球数の変化などを起こすリスクがあります。「噛み癖がある猫には柔らかいタイプの保冷剤を使わない」「使用する場合はしっかりとタオルに包む」など、飼い主さんが対策してください。

　夏場の移動で熱中症対策としてキャリーケースに入れる場合も、猫がかじったり、体を冷やし過ぎたりしないように、タオルなどで包んでから使用するといいでしょう。

# 医薬品

Medical Supplies

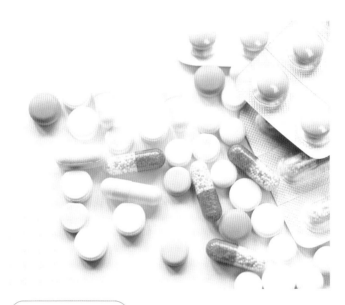

危険度　😿😿😿

医薬品による中毒は多く
命に関わることも

次ページから解説

動物病院で猫に処方される薬は人に処方されるものと同じ種類の物もありますが、猫に適した用法・用量を守らず、人の感覚で与えると中毒症状を起こす恐れがあります。また人では正しく使用すれば問題がない薬でも、猫にとってはその成分が有害となるものも。

以下、複数の報告を参照してみても、ペットの中毒の事故原因として、医薬品が多いことがわかります。

### 国内外の医薬品による中毒のおもな報告

▼ 2019年、日本中毒情報センターが動物の中毒で問い合わせを受けた件数

|  | 一般市民から | 医療機関から | 合計 |
|---|---|---|---|
| 医療用医薬品 | 34 | 27 | 61(15.1%) |
| 一般用医薬品 | 16 | 5 | 22(5.4%) |
| 医薬品合計 | 50 | 32 | 83(20.5%) |

（合計は、その他からの受信も含む。％は動物の中毒の問い合わせ404件中の割合）

▼ 2011年、アニコムホールディングスが獣医師172人対象に実施したアンケートのうち、「ヒトの医薬品」による中毒の診察経験の回答

・「1回以上経験がある」…150人（全体の87%）
・「摂取が原因で死に至った経験がある」…16人

▼ 2019年、アメリカの動物中毒管理センターに寄せられたペットの中毒の通報件数ランキング

1位：市販薬（通報の19.7%）
2位：人用の処方薬（通報の17.2%）

市販薬
人用の処方薬
その他

## 一般的な市販の解熱剤・鎮痛剤も猫には猛毒

中枢神経抑制薬、ホルモン薬、抗菌薬など、あらゆる種類の薬が中毒の原因となります。どういった成分をどれだけ摂取すると害を

与えるかは、今後新たな情報が出てくる可能性がありますが、猫の飼い主さんがとくに注意したいのは、「アセトアミノフェン」「イブプロフェン」といった成分を含む解熱剤・鎮痛剤です。猫の場合、1粒でも重篤な中毒症状を起こし、とくにアセトアミノフェンは、貧血や血尿を起こし、摂取後18〜36時間で命を落とします。

## 処方薬は、必ず獣医師の指示に従って使用を

アメリカの中毒管理センターでは、猫の中毒で問題になりやすい薬として「フルオロキノロン系抗生物質」、「ジフェンヒドラミン(抗ヒスタミン剤)」、「アミトリプチリン、ミルタザピン(抗うつ剤)」などを挙げています。「この中でフルオロキノロン系抗生物質は猫に対してよく使う薬です。使用は問題ないですが、過剰投与は失明につながります。以前別の猫に処方した物を、飼い主さんの判断で同居猫に使うと中毒になる可能性があります。ジフェンヒドラミンやアミトリプチリン、ミルタザピンも猫では使用する薬。用法・用量を間違えなければ、問題ありません」(服部先生)。

＊ APCC : *Most Common Causes of Toxin Seizures in Cats*参考

## 効き目が穏やかな漢方薬も、自己判断で与えないで

漢方薬でも中毒のリスクがあり、葛根湯、センナ、朝鮮人参などの人がよく飲むものも注意が必要です。「漢方薬は効き目が穏やかだから猫にも使えそう」と感じるかもしれませんが、どんな医薬品であっても量を間違えれば中毒を起こします。あらゆる医薬品を、獣医師の指示なく猫に与えないでください。

# α-リポ酸のサプリメント

アルファ

Alpha Lipoic Acid Supplements

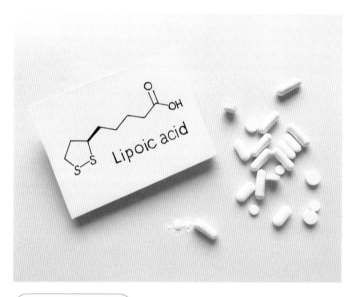

危険度 😾😾😾

猫に「猛毒」で
死亡事故もあるサプリメント

　人にとっては健康上のメリットがあるサプリメントも、猫にとっては毒となる可能性があります。その代表ともいえるのが、「α‐リポ酸」です。

　この成分は、チオクト酸とも呼ばれる天然の抗酸化物質（ビタミンではなくビタミン様物質）で、牛や豚の肝臓・心臓・腎臓のほか、ほうれん草やトマト、ブロッコリーなどの野菜にも含まれています。美容やダイエットを目的に人用のサプリメントとして広まりましたが、小動物には、人より強い効果を示します。とくに猫は、犬よりも10倍程度この成分への感受性が高いともいわれていますので、「愛猫の健康によさそう」と飼い主さんの判断で与えるのは、絶対にやめてください。

　猫の体重1kgあたり30mgの摂取で神経や肝臓の損傷を引き起こす恐れがあります[*]。つまり、1錠に100mg以上含むサプリメントを体重3kgの猫が口にするとしたら、たった1錠でも危険となります。おもな症状は、よだれ、嘔吐、運動失調、震え、痙攣など。国内でも猫が食べてしまい、死亡したケースがあります。

[*] A.S.Hill他（2004）: Lipoic acid is 10 times more toxic in cats than reported in humans, dogs or rats 参考

## 香りに誘われて、積極的に食べてしまう

　さらにα‐リポ酸のサプリメントの厄介なところは、猫が積極的に食べようとする傾向があることです。猫が好みやすい香りをしているのか、袋ごと大量にかじってしまう恐れがあります。必ず猫が届かないところで厳重に管理し、床に落としてしまったら放置せずに、すぐに拾ってください。

# タバコ

Cigarettes

危険度 😾😾😾

ニコチン中毒のほか
発がんリスクを高める恐れも

猫がタバコを直接口にするとニコチン中毒を起こし、重度の嘔吐、抑うつ、心拍数の上昇、血圧の低下、痙攣、呼吸不全のほか、重度の場合は死に至ります。人でも受動喫煙が悪性腫瘍の危険因子として知られていますが、猫でも扁平上皮がんやリンパ腫などのリスクが高まるという報告\*があります。煙が体に付着すれば毛づくろいでタバコの成分をなめてしまうので、猫のいる部屋では吸わないほうがいいでしょう。

\* Elizabeth R.Bertone 他(2002) : *Environmental tobacco smoke and risk of malignant lymphoma in pet cats*、同(2003) : *Environmental and lifestyle risk factors for oral squamous cell carcinoma in domestic cats*

## 電子タバコの誤食も注意したい

海外の例ですが、アメリカの動物中毒管理センターによると、ペットではニコチンのパッドやガムのほか、電子タバコのニコチンを含むリキッドの誤飲による中毒が増加しています。

日本ではニコチンを含む液体タバコの販売は現状認められておらず、電子タバコの主流は、葉やその加工品を電気で加熱した加熱式タバコ。日本中毒情報センターの報告によると、人では2018年は1265件もの相談があり、紙巻きタバコを上回ります。子供の誤飲ではゴミ箱から使用済みのカートリッジを取り出したケースが多く、大人では使用後のカートリッジを浸した水やお茶の誤飲が9割。受動喫煙のリスクはまだ結論が出ていませんが、こうした直接の摂取は猫でもニコチン中毒を起こす恐れがあります。ニコチンを含まない液体式タバコも流通していますが、猫には有害となることがある「プロピレングリコール（P130）」を使った製品もあります。

\* 以上、APCC : *Poisonous Household Products*、公益財団法人日本中毒情報センター2018年受信報告参考

# 殺鼠剤

Rat Poison

危険度 😿😿😿

# 血液凝固を阻害する成分が
含まれている（「デスモア」シリーズの場合）

　都会でもネズミの増殖が問題となり、駆除目的で殺鼠剤を使う家庭もあるかと思います。殺鼠剤には、血液の凝固を阻止する「ワルファリン」や類似の成分が広く使われ、猫にも子供にも有害となります。代表的な殺鼠剤「デスモア」シリーズを製造するアース製薬株式会社に、猫の中毒リスクを尋ねました。

　「『強力デスモア』の主成分はワルファリンです。この薬剤は、ネズミが数日間食べ続けたあとに効果を発揮する有効成分で、猫が連続して食べない限りは問題ないものと思われます。急性経口毒性値（中毒になる量）はラットで60mg/kg、製品に換算すると120g/kgです。『デスモアプロ』の主成分は『ジフェチアロール』で、作用はワルファリンと同じ血液凝固阻止作用ですが、ワルファリンよりも急性経口毒性値が低いため、連続して食べなくても効果が発現します。そのためワルファリンが主成分の『強力デスモア』よりも取り扱いに注意が必要です。しかしこれらはすべて一般論です。食べた量が少量にもかかわらず重篤な症状になったという獣医さんからの相談も過去にありますので、猫が口にしないように細心の注意をしてくださいませ」（アース製薬担当者）。

## 殺鼠剤を食べたネズミを猫が食べたら？

　「『強力デスモア』や『デスモアプロ』を食べて致死したネズミを猫が食べたとしても、摂取量は急性経口毒性値を下回り、二次的な影響はかなり低いと考えます」（アース製薬担当者）。

# エッセンシャルオイル

Essential Oils

危険度

（植物の種類や濃度により、くわしくは不明）

## ディフューザーで毛に付着。
## 犬よりも猫のほうが危険

エッセンシャルオイル（精油）は、植物に含まれる天然の油のこと。蒸留して植物から抽出した香り成分が凝縮されたアロマ用オイルは、気分を高めたり、リラックスさせたりなど、健康面への期待から広く使われています。しかし、動物が口にすると、嘔吐・下痢、中枢神経系の症状、痙攣、まれに肝障害、吸入した場合は誤嚥性肺炎を起こすことなどが報告されています。真性肉食動物の猫は、植物に対して肝臓の解毒機能が働かないため、人よりも犬よりも危険です。

＊ APCC : *Trending Now Are Essential Oils Dangerous to Pets?* 参考

## 毛づくろいしながら、口にしてしまう

空気中にオイルを放出して香りを広げるアロマディフューザーの人気が高まるにつれ、猫に与える影響の懸念が高まっています。呼吸器から吸入するほか、猫の薄い皮膚に浸透したり、猫が被毛に付いたオイルをなめて摂取する危険があるためです。

毒性が広く知られるティーツリー（P142）やユーカリ（P94）のオイルのほか、アメリカの動物中毒管理センターは、レモングラスやミント、グレープフルーツなども「毒性あり」と指摘しています。

一方で、「猫が嗅ぐと死ぬ」という情報が流れている種類もありますが、どのオイルがどれだけ猫に危険になるかという因果関係は、まだ多くが証明されていません。また、毒性にかかわらず、優れた嗅覚をもつ猫には香りが強い刺激となり、ストレスから体調不良を起こす可能性もあります。種類に関係なく、猫がいる部屋では使用しないほうがいいでしょう。当然オイルが1〜20％含まれるフレグランスやシャンプー、水に数滴垂らした状態よりも、100％のオイルを口にするほうが危険。猫が直接触れられないように管理を。

# ティーツリーオイル

Tea Tree Oil

猫には
「強く禁忌」とされる
エッセンシャルオイル

危険度

　ティーツリーは、オーストラリアの亜熱帯地域に生息するフトモモ科の植物。抽出した精油「ティーツリーオイル」は先住民族のアボリジニが薬としてきた歴史があり、皮膚の殺菌・消毒やアロマ、虫除けなどに広く活用されています。しかし、「オーストラリア・ティーツリー産業協会（ATTIA）」のサイトでは、猫への使用は「強く禁忌」と警告。猫の体に付けると、過呼吸や運動失調などの症状を起こすことがあり、死亡事故の報告＊もあがっています。

　日本にもノミ除去や除菌、抗炎症作用への期待からティーツリーを含む犬用シャンプーがありますが、猫には使用しないほうがいいでしょう。感染症対策のためにオイルを混ぜたスプレーをまく方法がありますが、猫のいる空間では避けてください。

＊ Nicola Bates(The Veterinary Nurse, 2018) : *Tea tree oil exposure in cats and dogs*

# 一部の犬用の駆虫薬

（ペルメトリン）

Some Anthelmintics for Dogs

「ペルメトリン」が
含まれるものは
中毒を起こす

危険度 😿😿😿

　ピレスロイド系の殺虫成分は一般的に哺乳類全般に低毒性とされていますが、その一種「ペルメトリン」は、猫が摂取すると重篤な症状が現れます。おもな原因は、ペルメトリンが高濃度に含まれる犬用の駆虫剤を、飼い主さんが猫に使用してしまうケース。オーストラリアで獣医師向けに行われた調査＊では、2年間のペルメトリン中毒による猫の症例750件中、166件の死亡が報告されています。一部、日本でも使われている犬用の駆虫剤にも含まれています。犬用の疥癬治療薬やシャンプーにも使用されている製品がありますが、猫にはペルメトリンが含まれない猫用の製品を使用してください。

→ペルメトリンが含まれる殺虫剤はP147

＊Richard Malik 他（2017）: Permethrin Spot-On Intoxication of Cats: Literature Review and Survey of Veterinary Practitioners in Australia

# 塩素系漂白剤

（次亜塩素酸ナトリウム）

Chlorine-Based Bleaches

## 猫が自ら
## 近寄ってきて
## しまうことがある

危険度 😾😾 😾😾 〜

（濃度による）

　塩素系漂白剤の主成分は、アルカリ性の「次亜塩素酸ナトリウム」。この塩素のニオイを好むのか、猫によっては近寄ってきてしまうことがあります。原液が猫の体に付くと皮膚に炎症が起きたり、毛づくろいでなめると嘔吐・下痢、痙攣を引き起こす可能性があります。希釈液でも濃度や飲んだ量によっては危険なので、水道から直接水を飲みたがったり、キッチンに飛び乗ったりする猫が付け置き用の液を飲まないようにしましょう。

　新型コロナウイルス感染症などの対策として床や猫用のケージ、キャリーケースの掃除に漂白剤を使う場合、適切に薄く希釈した液（次亜塩素酸ナトリウム0.05％が目安）で拭き、しっかりと乾かせば、猫への害は心配ないでしょう。漂白剤のニオイが残るようなら、窓を開けて部屋を十分に換気してください。

# 除菌・消毒液
## Sanitizers & Disinfectants

エタノールは
しっかり乾くまで
なめさせない

危険度 😺😺 〜

除菌・消毒液を猫がいる家庭で使用する場合、以下に注意を。

---

**おもな製品と対応**

・エタノール含有のスプレーやジェル：猫の体内で分解できない
　ので、猫の食器の除菌や消毒には使用しない。人の肌に付
　けた直後は猫になめさせず、完全に揮発するまで時間をおく。

・次亜塩素酸水（P144の次亜塩素酸ナトリウムとは異なる）：
　次亜塩素酸を主成分とする酸性の溶液でペットのトイレや用品
　の消毒剤としても広く活用されており、なめる程度では問題な
　い（各製品の添加物にもよる）。ただし人でも消毒効果を有す
　る濃度の次亜塩素酸水を吸い込むことは推奨されていない*
　ので、猫にも目に入る、吸い込むような使い方は避ける。

＊厚生労働省サイト「新型コロナウイルスの消毒・除菌方法について」より

---

# 家庭用殺虫剤

（虫ケア用品）

Household Insecticides & Insect Repellents

危険度  ～

（成分により、危険性が異なる）

## ピレスロイド系は
## 哺乳類には低毒性の傾向

　家庭用の殺虫剤にはさまざまな成分が使用されていますが、現在では安全性への配慮から、哺乳類に対して低毒性の「ピレスロイド系（天然の除虫菊の花に含まれる成分とよく似た作用・構造の化合物）」の殺虫成分が最も多く使用されているようです。殺虫剤製品を多く製造・販売するアース製薬株式会社に、猫に対する安全性や注意点を尋ねました。

　「ピレスロイド系の殺虫成分は、虫の神経系に作用して殺虫いたします。しかし、人や犬猫などの哺乳動物に対しては、体内に分解酵素がありますので、薬剤が体に取り込まれたとしても汗や尿となって速やかに体外へ排出されてしまいます。より安全にお使いいただくために、猫のいる家庭では製品の用法・用量や使用上の注意をよく読んでからご使用ください。なお人や猫も体質やそのときの体調によっては、薬剤に対して過敏に反応することは否定できません」（アース製薬担当者）。

## 「ペルメトリン」や、その他注意が必要な成分も

　ただし、ピレスロイド系の一種「ペルメトリン」は、猫がなめると中毒のリスクがあります（P143）。もし何らかの事情でペルメトリンを含む殺虫剤の使用が必要となる場合は、猫が成分を口にしないように隔離を徹底してください。

　また、「有機リン系」や「カーバメート系」の成分では、緊急疾患を起こすことがあります。よだれが出たり、嘔吐、頻尿、痙攣、呼吸困難、昏睡などが見られ、最悪の場合、死亡する恐れがあります。急性の症状が現れたら、動物病院で速やかに処置をしてもらってください。

# 家庭用殺虫・防虫剤の注意点

＊いくつか製品の注意点をメーカーの回答とともに取り上げて
います が、殺虫・防虫成分は製品により異なります。参考に
留め、購入した製品の使い方を正しく守ってください。

## ・くん煙タイプの殺虫剤

### 完全隔離し、使用後、十分に換気・掃除してから入室

（「バルサン」の場合）

　殺虫成分を含む煙や霧を拡散させて室内の虫をくまなく駆除する
くん煙タイプの殺虫剤。中にはピレスロイド系の一種ながら、スポ
ットオン剤等で猫の中毒事例が多い「ペルメトリン」が使われている
製品もあり、猫が成分を直接口にしないように、使用中は屋外に出
して完全に隔離する必要があります。使用前に「猫の一時的な預か
り先を探しておく」「キャットタワーや爪とぎなどもしっかり覆う」
「引越し先の住居では可能なら引越し前に済ませておく」といった段
取りを考えておきましょう。代表的なくん煙タイプの製品「バルサ
ン」（多くの製品でフェノトリン使用）を猫がいる家庭で使用する際
の注意点を製造販売元のレック株式会社に尋ねました。

　「使用した部屋に戻る際にも換気を十分に行ってから入室し、掃除
機などで掃除をするのが、バルサン使用後の作業です。猫などでは
床や壁をなめることが考えられますので、雑巾でしっかりと拭き掃
除することをおすすめします。また害虫（ゴキブリ等）の死骸を猫が
口にする可能性もあるので、取り除くためにも掃除することをおす
すめします」（同担当者）。

## ・ゴキブリ団子

### ホウ酸＋玉ねぎ。どちらも猫に危険
- - - - - - - - - - - - - - - - - - - - - - - - - - - - - -

　家庭でも簡単に作ることができるゴキブリ団子。まず主成分となるホウ酸に注意が必要です。身近で安全な印象があるかもしれませんが、成人でも1〜3gで中毒を起こし、経口致死量は15〜20gです[*]。仮にホウ酸を50％含む10〜15gの団子（約5〜7.5gのホウ酸を含有）を猫が1個の半分食べたとすると、成人の致死量の6分の1以上の毒成分を摂取することになり、猫の命に関わります。

　さらに、ゴキブリを誘うためによく使われるのが玉ねぎ。猫が中毒を起こしやすい代表的な食材で、貧血や、最悪、急性腎障害を起こします（P32）。市販のゴキブリ毒餌剤（下）と違って毒成分を含む部分が露出しているので、置き場所により注意が必要です。

[*]『伴侶動物が出合う中毒』（山根義久監修／チクサン出版社）参考

## ・ゴキブリ毒餌剤

### 中身を食べたゴキブリに残る成分は微量
- - - - - - - - - - - - - - - - - - - - - - - - - - - - - -
（「ブラックキャップ」の場合）

　プラスチック等で覆われた市販のゴキブリ毒餌剤は、外側をかじって壊さない限り大量に食べることはないですが、中身を食べたゴキブリを猫が口にする可能性はあります。

　アース製薬の担当者によると、製品「ブラックキャップ」については、「致死したゴキブリの体内に残る有効成分量は微量なので、猫への影響はないものと思われます」とのことです。

## ・直接噴射の殺虫剤

### 猫が部屋にいないときに使う

(「アースジェット」「ゴキジェットプロ」の場合)

ゴキブリや蚊など、直接噴射する殺虫剤「アースジェット」「ゴキジェットプロ」を使用する場合の注意点は?

「使用された量にもよりますが、溶剤のケロシン（精製灯油）を吸い込むことが心配です。スプレー直後の霧状になった薬剤を吸引すると影響を及ぼす可能性があるので、スプレー時の猫の在室はおやめいただいております。使用後、猫の毛や皮膚へ付着させないように、猫が行動する床面の拭き掃除を行うことをおすすめします」（アース製薬担当者）。


## ・蚊取り製品

### ときどき換気をし、直接なめさせない

(「アースノーマット」「アース渦巻香」の場合)

プラグ式・電池式などの「アースノーマット」シリーズや、蚊取り線香タイプの「アース渦巻香」など、長時間使用する蚊取り製品は、締め切った部屋ではときどき換気をすれば、猫がいる部屋でも使えることが書かれています。製品を直接なめてしまった場合は?

「少しなめる程度であれば問題ないと考えます。猫の体重にもよりますが、誤食・誤舐にはご注意をお願いします」（アース製薬担当）。

蚊取り線香は火を使うので、使用中は猫が直接触れられない場所に置いてください。

## ・防虫剤
### 樟脳やナフタリンは、毒性が強い
- - - - - - - - - - - - - - - - - - - - - - - - - - -

　殺虫剤と同様に防虫剤もピレスロイド系が使われるようになってきています。ほかにも防虫剤で使われる成分はいくつかあり、以下を含む製品は、中毒を起こす可能性があります。

---
#### 防虫剤の種類と症状

- ・樟脳：摂取後、数十分してから悪心、嘔吐、皮膚の紅潮、中枢神経障害、呼吸困難を起こす。
- ・ナフタリン：悪心、嘔吐・下痢など。重症の場合、中枢神経障害、肝障害。摂取の3日後からタンパク尿、血色素尿が出現し、急性腎障害を起こす。
- ・パラジクロロベンゼン：消化器障害、頭痛、めまい。

＊『伴侶動物が出合う中毒』（山根義久監修／チクサン出版社）参考

---

　衣類用防虫剤は、猫が好奇心を持ちやすいサイズや感触であるため、遊びながら食べてしまう恐れがあります。猫が直接触れないように管理しましょう。

## ・虫除け剤

### 主流は「ディート」という有効成分

- - - - - - - - - - - - - - - - - - - - - - - - - - - - - - - - - - -

　人の肌に直接使う虫除け剤で世界的に最も多く使用されているのは「ディート」という有効成分。日本でも50年以上使用されています。蚊やマダニなど多くの害虫に効果を発揮し、吸血行動を阻止します*。

　吹き付けた肌を猫がなめてしまっても問題ないか、虫除けスプレーの製品「サラテクト」についてメーカーに尋ねました。

　「『サラテクト』の主成分「ディート」は、適正に使う範囲であればペットへの安全性が認められており、腕に塗布したサラテクトを少々なめても問題ないものと思われます。ペットの虫除けとして使用する場合は、より穏やかに作用する犬猫用の製品をお使いください」（アース製薬担当者）。

*アース製薬サイト参考

# その他、猫が中毒を起こす

-------------------------------------

## 可能性のある家庭用品の例

-------------------------------------

・石鹸、シャンプー類、洗剤・柔軟剤類、入浴剤
　（以上、とくにアロマ成分入りのもの）

・香水、口紅、ハンドクリーム、日焼けローション、
　マニキュア、除光液

・クレヨン、絵の具、フェルトペン、修正液、鉛筆、インク、
　接着剤、糊、朱肉、墨汁、油粘土、シール剥がし

・体温計の水銀

・乾燥剤（シリカゲル）

・ラジエーター洗浄剤、ガソリン、灯油

・肥料、除草剤、ナメクジ・アリ駆除剤　……など

　化学製品を口にした場合の中毒のリスクは、製品ごとの成分や
その割合、猫の摂取量や体重・体質にもより一概にはいえませ
んが、いずれも猫が口にして行動や体に異変が見られたら、す
ぐに受診を。基本的に「人が口にした場合に問題となるもので
猫には大丈夫なものはないだろう」と考えておくといいでしょう。

　香料が含まれた化学製品はたとえ中毒症状が起きなくとも、そ
の香り自体が、嗅覚を駆使して生きている猫にとって強いスト
レスとなっている可能性があります。

誤食・中毒だけじゃない！

# 室内に潜む危険から猫を守ろう

### ● 落ちる

「最近、10階以上の高さから落下した猫が命を落とす事故がありました。高いところだと助かることが多いとよくいわれますが、実際にはそうでないこともあるようです」（服部先生）。

「猫は落下中に体をひねって速度を落としながら着地できる」「中途半端に2〜3階から落ちるより、もっと高所から落下したほうが無事」といった噂がありますが、これは1980年代、高層階の建物が増え始めたニューヨークで「(Feline) high-rise syndrome（猫高所落下症候群）」と呼ばれ、以降調査されてきた結果*がもとになっていると思われます。しかし、突然の落下に驚いた猫が空中で体勢を整えられるとは限りませんし、上記の調査でも7階以上で重症の発生率が上がっています。外傷、骨折、内臓損傷などの恐れがあるので、階数にかかわらず、窓やベランダから猫が脱走できないように対策を施しましょう。とくに落下事故に遭う多くが1才未満の猫で、暖かい季節に事故が増える傾向があります。

一方、遊んでいた猫じゃらしに気を取られたり、同居猫とのケンカで高所から足を踏み外して……といった落下事故は室内でも起きます。「電子レンジの開いた状態の扉に猫が飛び乗ってレンジごと落下してしまい、扉のガラスで皮膚を切ってしまった事故も起きています」（服部先生）。

* W.O.Whitney, C.J.Mehlhaff (1987) : *High-rise syndrome in cats*、D.Vnuk 他 (2004) : *Feline high-rise syndrome: 119 cases (1998-2001)*

## ●感電する

　感電は、体内に電流が走って傷害を受けること。猫では電気コード類を噛んで舌や口の粘膜に局所的にやけどを負うほか、最悪、毛細血管が傷付いて肺胞に水が溜まる「肺水腫（はいすいしゅ）」を起こし、亡くなるケースもあります。子猫や噛みグセのある猫がいる家では、床や壁に沿ってコードを固定したり、専用のカバーで覆うなど、コードの露出を減らす対策をしてください。

## ●やけどする

　調理後のまだ熱いIHコンロに猫が飛び乗ってやけどする事故の報告が多くなっています。猫をキッチンに入れないか、使用後はコンロカバーを被せましょう。また、ホットカーペットなどで長時間寝続けると、低温やけどで皮膚がダメージを受けることも。熱に鈍感で寝る時間が長い高齢猫は要注意。「温度を一番弱くする」「厚手の布を被せておく」「スイッチを一度切る」などの対応をしましょう。

## ●溺れる

　溺れて気道に水が入ることで、気道が塞がって呼吸困難に。災害対策で残り湯を風呂に残したままにする場合、蓋を閉めるだけでなく、猫が勝手に入れないように浴室の扉を閉めておきましょう。

## ●挟まる・踏まれる

　猫の足やしっぽは扉に挟まれたり、踏まれたりすると、皮膚が剥けたり、骨折したりすることがあります。窓を開けた際の強風や換気扇の排気による負圧で閉まりやすい扉には、ストッパーを付けて少し開いた状態にしておくなど猫が挟まれないように対策を。

# 索 引 *50音順、数字はページ

＊その他P95にもまとめています

## 参考文献

*The Feline patient,4th Edition*（Gary D. Norsworthy/Blackwell Publishing, 2010）
*Companion animal exposures to potentially poisonous substances reported to a national poison control center in the United States in 2005 through 2014*（Alexandra L. Swirski, David L. Pearl, Olaf Berke, Terri L. O'Sullivan /JAVMA, Vol.257, 2020）
APCC (ASPCA Animal Poison Control Center)：「*Toxic and Non-Toxic Plants List*」、「*ASPCA Announces Top 10 Toxins of 2019 to Kickoff National Poison Prevention Week*」(2020)、「*Announcing: The Top 10 Pet Toxins!*」(2020)、「*Most Common Causes of Toxin Seizures in Cats*」「*People Foods to Avoid Feeding Your Pets*」「*Ingredients & Toxicities of Cleaning Products*」、「*How to Spot Which Lilies are Dangerous to Cats & Plan Treatment*」(2015)、「*How dangerous are winter and spring holiday plants to pets?*」(Petra A. Volmer)、「*ASPCA Action winter 2006*」「*17 Plants Poisonous to Pets*」、「*Is That Houseplant Safe for Your Pets?*」(2019)

「犬、猫の誤飲：傾向と対策」島村麻子（アニコムホールディングス, 2012）
公益財団法人日本中毒情報センター 受信報告、情報提供資料
『動物看護の教科書 新訂版 第5巻』（緑書房, 2020）
『伴侶動物が出合う中毒 —毒のサイエンスと救急医療の実際』（山根義久監修／チクサン出版社, 2008）
『小動物の中毒学』（Gary D. Osweiler著、山内幸子訳、松原哲舟監修／ New LLL Publisher, 2003）
『改訂3版動物看護のための小動物栄養学』（阿部又信／ファームプレス, 2008）
『改訂版 イヌ・ネコ家庭動物の医学大百科』（山根義久監修／パイ インターナショナル, 2012）
『犬と猫の栄養学』（奈良なぎさ／緑書房, 2016）
「日本食品標準成分表2015年版七訂」（文部科学省科学技術・学術審議会資源調査分科会）
「自然毒のリスクプロファイル」（厚生労働省）
『人もペットも気をつけたい園芸有毒植物図鑑』（土橋 豊／淡交社, 2015）
「園芸活動において注意すべき有毒植物について」（土橋 豊, 2014）
『続・楽しい植物 観察入門』（大日本図書, 2015）
「家畜疾病図鑑Web」（農業・食品産業技術総合研究機構 動物衛生研究部門, 2016）
「みんなの趣味の園芸 育て方がわかる植物図鑑・花図鑑（1345種）」（NHK）

監修：服部 幸（はっとり ゆき）

「東京猫医療センター」（東京都江東区）院長。「ねこ医学会（JSFM）」CFC理事。2005年から猫専門病院の院長を務め、2012年に東京猫医療センターを開院。2013年、国際猫医学会からアジアで2件目となる「キャット・フレンドリー・クリニック」のゴールドレベルに認定される。東京猫医療センターの昨年（2020年）の猫の診察件数は、1万7000件以上。

イラスト：霜田有沙（しもだ ありさ）

2013年東京造形大学卒業。絵本の1ページのような物語性のあるイラストを手掛けている。

# 猫が食べると危ない
# 食品・植物・家の中の物図鑑

誤食と中毒からあなたの猫を守るために

2021年3月12日　第1刷発行
2021年4月 7日　第3刷発行

編集・文　本木文恵
デザイン　山村裕一（cyklu）
校正　株式会社ぷれす
写真　服部 幸（症例写真）、Adobe Photostock、二宮さやか
印刷・製本　シナノ書籍印刷株式会社
発行人　本木文恵
発行所　ねこねっこ（猫の本専門出版）
　　　　千葉県千葉市緑区大椎町1251-170
　　　　tel：050-5373-8637
　　　　fax：03-4335-0982
　　　　info@neco-necco.net
　　　　https://neco-necco.net/

neco-necco

ISBN 978-4-910212-02-9 C0077　©neco-necco 2021 Printed in Japan

● 本書に掲載の内容は2021年2月4日時点での情報です。
● 落丁・乱丁本はお取り替えいたします。
● 本書の内容（本文・写真・イラスト・図等）を当社および監修者・著作者の承諾なしに無断で転載（複写・SNSを含むインターネットでの掲載等）、複製することを禁じます。